Byw Celwydd

Byw Celwydd

Rhiannon Thomas

GWASG GOMER
1988

Argraffiad cyntaf—1988

ISBN 0 86383 452 3

Dymuna'r cyhoeddwyr gydnabod cymorth a chyfarwyddyd
Adrannau'r Cyngor Llyfrau Cymraeg a noddir gan
Gyngor Celfyddydau Cymru.

Argraffwyd gan J. D. Lewis a'i Feibion Cyf.,
Gwasg Gomer, Llandysul, Dyfed

i Dad
a fu'n gefn i mi bob amser.

PENNOD 1

Prynhawn Sul

Sychodd Dilys yr olaf o'r llestri te a'u cadw yng nghwpwrdd y ddresel fodern a safai yng nghornel y gegin. Plygodd y lliain yn ddestlus ac yna edrychodd ar y cloc ar banel y popty trydan. Deng munud i bump. Fe fyddai Eurwyn yn brysur efo'i bregeth yn ei stydi am ryw chwarter awr eto. Nid fod ei bregeth heb ei sgwennu—chafodd Eurwyn erioed mohono'i hun yn y fath sefyllfa awr cyn ymadael am oedfa'r Sul. Na, mater o gaboli a thwtio oedd ei dasg yr adeg hon bob pnawn Sul.

Byddai'n mynd ati i sgwennu ei bregeth yn ddiffael bob bore Gwener ar ôl brecwast. O'i llunio bryd hynny, esboniodd unwaith wrth Dilys, byddai ganddo ddydd Sadwrn wrth gefn petai rhywbeth annisgwyl yn peri iddo fethu â chwblhau'r gwaith. Ond, wrth gwrs, nid oedd dim byd annisgwyl fyth yn digwydd i newid y drefn. Yn y chwe blynedd y buont yn briod, ni allai Dilys gofio un wythnos pan nad oedd pregeth Eurwyn wedi ei gorffen erbyn amser te dydd Gwener. Ac eto, ar ôl cael ei baned a'i frechdanau bob pnawn Sul am bedwar o'r gloch, fe hoffai gilio i'w stydi am ryw gyfnod i gopïo'r cwbl allan eto. Weithiau byddai rhyw bwynt ychwanegol neu ddyfyniad effeithiol wedi dod i'w feddwl er dydd Gwener, dro arall teimlai wrth ailddarllen y gallai wella tipyn ar ambell ymadrodd, neu fanylu ymhellach. Wrth gwrs, ar y Suliau hynny pan fyddai'n pregethu mewn capel arall, ni fyddai'n dilyn y ddefod hon, ond ni fyddai hynny'n effeithio dim ar ei bregethu.

Anaml iawn y deuai Eurwyn o'i stydi cyn pump o'r gloch, a theimlai Dilys demtasiwn cryf i'w heglu hi nerth ei thraed i fyny i'r llofft lle'r oedd ei bag-llaw llwyd yn llechu dan ei phen hi o'r gwely. Ond byddai Eurwyn yn siŵr o glywed sŵn ei thraed ar y grisiau, a byddai ei chlywed yn eu dringo mor heini'n ei gysuro ei bod yn berffaith iach, gan ddi-fetha pob ymgais ar ei rhan yn ystod y dydd i awgrymu ei bod yn anhwylus. Ystyriodd ei llusgo ei hun yn araf ac yn llafurus i ben y grisiau, ond y peryg oedd y byddai Eurwyn—nad oedd wedi sylwi dim ar ei stumiau na'i hocheneidiau cyson ers amser cinio—yn sylwi rŵan ac yn rhuthro i fyny i weld beth oedd yn bod.

A hithau'n ddynes ifanc ddeallus, teimlai Dilys —neu o leiaf y rhan fwyaf cyfrifol o Dilys—yn euog ei bod yn actio salwch pan wyddai hi'n iawn y dylai fod yn cyfrif ei bendithion am fod mor iach a di-boen. Ond fedrai hi mo'u hwynebu nhw heno, y gwenau di-wres a'r lleisiau beirniadol. A doedd hi ddim yn teimlo'n holliach beth bynnag; doedd hi ddim yn cymryd arni ei bod yn sâl, dim ond yn gor-bwysleisio tipyn ar ei chyflwr. Ac roedd y ffaith ei bod hi wedi gwylltio cymaint efo Eurwyn am beidio â sylwi yn ei sbarduno i barhau â'r perfform-iad.

Siawns y byddai wedi rhoi'r gorau i'r holl beth oriau'n ôl petai o wedi dangos rhithyn o ymateb. Pan gododd hi'n raddol bach o'i chadair wrth y bwrdd cinio a cherdded at y sinc gan ddal ei hochr a chrensian ei dannedd, nid oedd o wedi sylwi na holi beth oedd yn bod. Mae'n debyg y buasai Dilys wedi ateb mai mymryn o wynt oedd arni petai o wedi holi, ac mi fuasai'r mater ar ben—ond wnaeth o ddim. Roedd Eurwyn mor brysur yn meddwl am ei bethau ei hun fel nad oedd wedi clywed ei thraed yn llusgo hyd y llawr, nac wedi gweld ei hwyneb truenus. Wrth reswm, felly, arno fo roedd y bai os oedd hi'n cadw draw o'r oedfa heb achos digonol.

Fyddai neb yn amau ei rhesymau am eiliad. Y tro diwethaf y bu iddi fethu oedfa hwyrol oedd ddeunaw mis yn ôl, ac yr oedd hynny am ei bod hi yn yr ysbyty. Byddent yn cymryd yn ganiataol fod rhyw-beth difrifol o'i le petai hi'n absennol o'i sedd arferol. Byddai pawb yn sylwi, wrth gwrs; prin iawn oedd y sylw a roent iddi pan oedd hi yno, ond fe fyddai ei habsenoldeb yn destun sgwrs. Wel, eitha gwaith iddyn nhw, meddyliodd Dilys, rydw i'n haeddu noson rydd. Ac ni fyddai'n bosib tynnu'n groes y nos Sul ganlynol. Byddai'n Sul y Pasg, a chymun ym Moreia, a disgwyl i bob aelod fod yn bresennol dros ei grogi. A byddai ei mam yn aros yno ac yn disgwyl cael dod i'r oedfa efo Dilys er mwyn cael treulio awr neu fwy wedyn yn rwdlan am y gwahaniaethau rhwng gwasanaeth yn y capel a'r ffordd roedden nhw'n gwneud pethau yn yr eglwys. Teimlai'n gryf ac yn feiddgar; yr unig drueni oedd mai dim ond hi ei hun a'i Chreawdwr a wyddai am y brotest bwysig yr oedd hi'n ei gwneud.

Yr oedd hi'n ugain munud wedi pump erbyn i Eurwyn gael popeth yn barod ac ymddangos yn yr ystafell fyw. Eisteddai Dilys yn swp llipa yn un pen o'r soffa. Ceisiai ganolbwyntio'n galed ar y teimlad trwm chwyddedig yn ddyfn yn ei pherfeddion, er y gwyddai hi yn ei chalon nad oedd yn ddim mwy na'r hen deimlad annifyr a gâi bob mis ychydig ddydd-iau cyn ei misglwyf. Ond os meddyliai hi'n galed amdano, teimlai'n llawer gwaeth nag arfer.

Nid ei griddfannau gwantan na'i stumiau tor-calonnus a dynnodd sylw Eurwyn at ei wraig, ond y ffaith ei bod hi'n eistedd ar y soffa yn hytrach nag yn ei chadair arferol ger y tân nwy.

'Teimlo'n gynnes wyt ti?' gofynnodd. 'Pam na ddiffoddi di'r tân? Mae hi'n dipyn cynhesach heddiw nag oedd hi ddoe.'

'Dwi'n ei theimlo hi braidd yn oer, a dweud y gwir,' cwynodd Dilys.

'Mae hi'n braf iawn allan,' meddai Eurwyn yn galonnog. 'Roeddwn i'n rhyw feddwl y byddai hi'n syniad inni adael dipyn ynghynt heno a cherdded i'r capel. Mae hi'n siŵr o gadw'n braf am ryw ddwyawr arall.'

'Dwi ddim yn meddwl y medrwn i gerdded i unman, Eurwyn,' meddai Dilys yn sydyn, cyn iddo fwrw ymhellach i fanylu ar y tywydd. 'Dwi wedi bod yn teimlo'n wantan drwy'r dydd ac mae gen i boenau yn 'y mol.'

Roedd Eurwyn yn gonsýrn i gyd ar amrantiad.

'Wnes i ddim sôn cyn hyn,' esboniodd Dilys yn bwyllog, fel petai hi'n siarad â phlentyn, 'gan obeithio mai gwynt oedd o ac y byddai'n mynd. Ond wir, dwi'n teimlo'n waeth erbyn hyn.'

'Wyt ti mewn poenau mawr? Ga i ffonio am ddoctor? Efallai mai pendics ydi o.'

'O, naci, ddim poenau fel 'na ydyn nhw.' Oedodd Dilys am funud gan ostwng ei phen cyn mynd ymlaen mewn llais bychan, swil,

'Dwi'n amau mai rhywbeth ar ôl yr hen drwbwl 'na llynedd ydi o.'

Rhuthrodd ef ati'n syth, gan gymryd ei llaw a phenlinio o'i blaen.

'Wyt ti'n meddwl y dylet ti fynd i'r ysbyty?'

'O, na! . . . Hynny ydi, os nad aiff o'n waeth. Cadw'n llonydd a gobeithio'r aiff o heibio ydi'r peth gorau, dwi'n meddwl. Ond dwi ddim yn meddwl y medra i ddŵad i'r oedfa heno.'

'Wel, na fedri, siŵr, os wyt ti'n dioddef. Yli, gwell i minnau aros efo chdi. Os ffonia i Wil Gruffydd yn syth rŵan, mi fedr o drefnu tipyn o gyfarfod gweddi drwy ffonio rownd . . .'

'O na, na, Eurwyn. Dos di. Liciwn i ddim dy gadw di o'r oedfa a dy bregeth am reswm mor dila â hyn.'

'Ond . . .'

'Wyt ti'n cofio pan oeddwn i fel hyn ar ôl Dolig— dim ond aros yn llonydd am gwpl o oriau ac mi roeddwn i fel newydd.'

'Wyt ti'n siŵr, Dil? Fynnwn i ddim iti fod yn wael ar dy ben dy hun yn fa'ma . . .'

'Wir, rŵan, Eurwyn. Dim ond llonydd a distawrwydd am dipyn. Wnei di ymddiheuro drosta i?'

'Gwnaf, siŵr. Yli, wna i ddim cerdded—mi a' i â'r car ac yna mi fydda i'n ôl yn gynt. Ac os byddi di'n waeth, rho alwad i Tŷ Capel. Bydd un ai Meurig neu Gwenda yn siŵr o fod yno gan fod brech yr ieir ar Carys.'

'O, fydd dim angen gwneud hynny, Eurwyn. Dwi ddim ar farw, wsti. Dim ond braidd yn wan, ac ofn llewygu ar ganol emyn, neu rywbeth gwirion felly.'

Tyfai'r stori mor hawdd fel ei bod hi bron â theimlo'r gwendid a'r boen a'r bendro. Mor anodd oedd darbwyllo Eurwyn nad oedd hi'n ddifrifol wael, unwaith yr oedd hi wedi hawlio'i sylw. Yn y diwedd fe ofynnodd Dilys iddo wneud paned iddi, a photel-ddŵr-poeth i'w dal ar ei bol, dim ond er

11

mwyn iddo gael teimlo ei fod wedi gwneud rhyw-beth drosti cyn ei gadael.

O'r diwedd, tua chwarter i chwech, fe aeth. Prin yr oedd Dilys yn anadlu. Eisteddai'n gefnsyth yn ei chornel gan wrando'n astud ar sŵn ei draed yn crensian ar raean y cowt, ar ddrws y car yn clepian, ar yr injan yn tanio, ac wedyn, wedi hir-ymaros, ar sŵn y car yn troi allan i'r lôn wrth gongl y cae. Hyd yn oed wedi hynny, parhaodd i glustfeinio am ennyd faith, ac yna camodd at y ffenestr i sicrhau ei fod o wedi mynd o'r golwg cyn ei goleuo hi i'r llofft ac estyn y bag-llaw llwyd.

Ynddo roedd pwrs llwyd efo nifer o adrannau a oedd yn hynod o ddefnyddiol at wyliau tramor. Yn hwnnw y byddai Dilys yn celcio pres at ei gwyliau blynyddol er na fyddent yn mynd dramor mwyach. Serch hynny, yn y bag-llaw llwyd y cadwai'i phasport a'r sgarff sidan hardd llwyd a phiws, anrheg oddi wrth ei mam a oedd yn rheolwraig siop a werthai ddillad merched go ddrud. Wedi'i lapio yn y sgarff yr oedd potel lemonêd fechan yn llawn hylif clir, di-liw. Ac o hwn y cymerodd Dilys y dracht dwfn y bu'n disgwyl amdano er bore Sadwrn.

Am rai munudau, eisteddodd yn ei hunfan ar y llawr wrth ochr y gwely a'i llygaid ar gau, gan fwynhau teimlo'r gwres yn dychwelyd i'w gwythiennau, a chan ildio i'r gollyngdod llwyr a oedd erbyn hyn yn gyfarwydd iddi ac eto megis gwyrth ryfeddol bob tro.

Ond yn rhy fuan o lawer roedd y botel lemonêd yn hesb. Cododd Dilys a mynd â'r botel i lawr y grisiau, drwy'r gegin ac at y cwpwrdd wrth ddrws y cefn a oedd yn gwneud gwaith cwpwrdd dan staer mewn tŷ modern efo grisiau agored. Yno, y tu ôl i baced o bowdwr golchi, potel o hylif golchi llestri a photel o hufen sgwrio'r bath, wedi'i lapio'n dyner mewn papur llwyd a'i orchuddio gan gadachau tynnu llwch, yr oedd potel werdd, potel jin.

Aeth Dilys â'r botel jin at fwrdd y gegin a llenwi'r botel lemonêd. Yna, llanwodd y mỳg a ddefnyddiai bob amser ar gyfer yfed jin, yr un na fyddai Eurwyn byth yn ei ddefnyddio am ddau reswm—roedd arno lun rhosod pinc benywaidd dros ben, ac yn ei waelod roedd crac tenau, clir. Wedi llenwi'r mỳg a'i wagio, a'i ail-lenwi eto ryw hanner awr yn ddi-weddarach, nid oedd dim ond y diferyn lleiaf o hylif ar ôl yn y botel werdd. Roedd honno'n broblem y byddai'n rhaid i Dilys ddygymod â hi fory. Roedd hi wedi chwarae efo'r syniad o fanteisio ar dosturi parod Eurwyn a threulio'r diwrnod canlynol yn ei gwely, ond yn awr byddai'n rhaid iddi wella digon i wneud siwrnai i'r dref. A byddai angen esgus da arni hefyd, oherwydd, a hithau'n mynd â'r hen Fartha Parry i'r ysbyty ben bore Mawrth, ni allai awgrymu mynd i brynu bwyd ar ddydd Llun gan wneud siwrnai ofer yn y car. Ond problem at fory oedd honno.

Gorweddodd Dilys ar ei hyd ar y soffa efo'r mỳg llawn yn ei llaw, gan gyrlio a sythu bodiau ei thraed a gwneud y gorau o'i rhyddid. Dychmygai ei lle gwag yn y capel, dychmygai wynebau difrifol y gynulleidfa, pob un yn ei le priodol, ac Eurwyn yn y pulpud, ei wyneb bachgennaidd yn sgleinio, yn syllu tua'r nenfwd tra'n traddodi ei bregeth i'w braidd ac i'w Greawdwr. Ac er gwaethaf ei bwriad i'w mwynhau ei hun, daeth cwmwl dros wyneb Dilys wrth iddi gofio'r tro cyntaf iddi fynychu oedfa'r Sul ym Moreia, Pontheulyn. Dim ond rhyw chwe blynedd yn ôl yr oedd y noswaith honno, ond teimlai Dilys mai rhywun arall oedd yr eneth denau, swil yn y siwt las tywyll a eisteddodd drwy'r oedfa honno yn y sedd flaenaf ond un, gan deimlo'r hyder yn cael ei sugno ohoni drwy lawr pren y capel i ryw bwll diwaelod.

Bron ddeufis cyn eu priodas, ar noson braf o Fai, y gwelodd Dilys Bontheulyn am y tro cyntaf. Bu Eurwyn yn ceisio'i pherswadio i fynd draw am dro yn gyson er iddo dderbyn y weinidogaeth yno ddwy flynedd ynghynt, ond fe ddeuai Dilys o hyd i esgus digonol bob tro. Ofnai y byddai'n colli'i hunaniaeth unwaith ac am byth o'r foment y cymerai'r cam di-droi'n-ôl hwnnw a fyddai'n ei dedfrydu i fywyd o fod yn ''Mrs Roberts, gwraig y gweinidog''.

Wrth gwrs, ac yntau wedi bod yn ddigon lwcus i gael eglwys dda mor handi, yr oedd Eurwyn am iddynt briodi yr haf y cafodd ei ordeinio, yr haf y bu i'r ddau ohonynt orffen yn y coleg. Ond cafodd Dilys y nerth o rywle i fynnu gohirio'r dydd. Dyw-edodd wrth Eurwyn mai gwastraff llwyr fyddai iddi ddilyn cwrs athro am bedair blynedd heb gwblhau'r cyfnod o ddysgu a fyddai'n ei gwneud yn athrawes drwyddedig. Cytunodd Eurwyn â'i rhesymeg. Roedd o'n barod bob amser i wrando ar reswm bryd hynny.

Cafodd Dilys swydd dros ddeugain milltir o Bontheulyn a bu raid iddi fynd i fyw ar ei phen ei hun am y tro cyntaf erioed, profiad oedd mor felys ganddi nes iddi benderfynu'n gyfrinachol ei bod am aros yno am rai blynyddoedd cyn troi eu dyweddïad maith yn briodas ac ildio'i hannibyniaeth werth-fawr.

Ond doedd ganddi ddim esgus digonol i'w gynnig pan ddaeth Eurwyn ati ymhen deunaw mis efo tudalen o'r *Daily Post* yn dwyn hysbyseb am athro/athrawes i ddysgu Hanes lai na phum milltir o Bontheulyn.

'Rwyt ti'n siŵr o'i chael hi, ac yna fe gawn ni briodi'r haf yma,' meddai, a'i wyneb yn tywynnu o hapusrwydd, ac ni allai Dilys lai nag adlewyrchu'r un hapusrwydd. A dyna sut y bu iddi ddod i Bontheulyn y Sul hwnnw ym mis Mai yn gwisgo'r siwt yr arferai ei chadw ar gyfer cyfweliadau.

Yr oedd yn berffaith amlwg o'r eiliad y dringodd i fyny'r grisiau cerrig at y drws mawr browngoch fod pob unigolyn yn y gynulleidfa wedi clywed ymlaen llaw am ymweliad dyweddi Mr Roberts â Moreia. Ac yr oedd cynulliad da wedi troi allan i gael cip arni o'r diwedd. Yr oedd yn amlwg hefyd fod y mwyafrif ohonynt wedi eu siomi ynddi o'r dechrau. Ymddangosai rhai o'r dynion hynaf yn falch o weld nad hogan ifanc gegog mohoni, debyg i'r rhai y gwelent gymaint ohonynt ym mhobman y dyddiau hynny, ond roedd yn rhaid iddynt hwythau gytuno efo'r gweddill eu bod wedi disgwyl i ddyweddi Mr Roberts fod yn rhywun mwy anghyffredin rywsut.

Trodd Edna Evans ei chefn ar ei horgan am funud, gan esgus chwilio am ddarn o gerddoriaeth, er mwyn cael golwg ar Dilys wrth iddi gerdded yn betrusgar at y sedd flaenaf ond un. Wel, pwy fasa'n meddwl, meddai ei hwyneb wrth iddi godi'i haeliau ar ei chyfeilles Nora Price. A Mr Roberts yntau mor olygus, mor ddawnus, mor llawn personoliaeth, wedi dewis fel cymar y tipyn hogan ddi-nod yma yn y siwt ddi-siâp.

Ar ddiwedd yr oedfa—a gadwyd yn fyr yn fwriadol gan Eurwyn ar yr achlysur arbennig hwn—dyma bawb yn ymgynnull o gwmpas drysau'r cyntedd. Pawb yn gwneud stori fawr o gadw'u llyfrau emynau, ac yn loetran i drafod y tywydd efo hwn a'r llall gan obeithio cael cyfle i dorri gair efo cariad Mr Roberts. Roedd Eurwyn fel cath efo llygoden dew, yn wên o glust i glust wrth iddo wthio Dilys o un llaw estynedig i'r llall, gan ei chyflwyno i bob un fel 'fy narpar wraig' a dweud drosodd a throsodd y byddent hwy i gyd fel yntau'n dod i'w hadnabod yn well yn y dyfodol agos. Rywsut fe lwyddodd Dilys i gadw'i gwefusau ar ffurf gwên—tipyn o gamp gan ei bod yn crensian ei dannedd ar yr un pryd i'w rhwystro rhag dweud wrth Eurwyn am beidio â siarad y fath lol. Ni ddywedodd ryw lawer wrth unrhyw un arall chwaith, a dyna sut y cafodd hi ei labelu'n ddi-sgwrs yn ogystal â di-bob-dim-arall.

A doedd yr hunllef ddim drosodd. Cawsai'r blaenoriaid—llawer gormod ohonynt i un capel ym marn Dilys—a'u teuluoedd eu gwahodd yn ôl i Dŷ'n Refail wedi'r oedfa am baned mewn llaw a thamaid o fara brith. Yno dan adain Leusa Puw y bu Eurwyn yn byw oddi ar iddo symud i Bontheulyn. Yr oedd yr hen wraig wedi croesawu'r gweinidog ifanc fel mab ac yr oedd yn awyddus i estyn yr un croeso i Dilys.

Am dipyn roedd pawb yn brysur yn mynd trwy'r ddefod o dynnu côt a dewis sedd ac yna'r oedd yr holl fusnes te a faint o siwgwr a dewis teisen ac yn y blaen. Yna fe aeth yn o ddistaw wrth i aelodau'r cwmni geisio meddwl am rywbeth arall i'w ofyn i Dilys, wedi iddynt glywed pa bwnc yr oedd hi'n ei ddysgu, ac nad oedd ganddi berthynas o fath yn y byd yn byw yn lleol.

Yn ei swildod a'i hofn rhag creu'r argraff anghywir, ni fentrodd Dilys roi cynnig ar gychwyn sgwrs efo neb a bodlonodd ar ateb cwestiynau uniongyrchol a gwrando ar sgwrs y lleill. Ceisiai gofio pwy oedd yn perthyn i bwy, a chysylltu'r wynebau hyn oedd o'i blaen efo'r argraffiadau niwlog oedd yn ei hymennydd. Roedd wedi clywed Eurwyn yn parablu droeon am 'yr hen Dwm Huws' a 'Mrs Williams, Siop, druan' ond, a dweud y gwir, ni wnaethai fwy na hanner gwrando ar ei glebar. Yn eu mysg yn awr am y tro cyntaf, crychodd ei thalcen mewn ymdrech i gofio beth ddywedasai Eurwyn am bob un ohonynt.

Sylwodd pawb ei bod yn edrych yn flin—yn eistedd yn fan'na yn edrych arnyn nhw fel pe na baent yn ddigon da iddi. Fel petai ganddi hi, madam, le i fod mor falch. Onid oedd hi newydd gyfaddef o'i cheg ei hun nad oedd hi'n deall dim am faes llafur yr Ysgol Sul am eleni, nac yn medru canu'r piano na'r organ? A phawb wedi rhyw led-obeithio y gallai hi gymryd lle Mrs Evans wrth yr offeryn gan fod cryd cymalau'r organyddes wedi mynd mor boenus, a'i thraed mor annibynadwy ar y pedalau. Fe fuasai wedi bod yn braf cael adnabod y dôn cyn cyrraedd hanner ffordd trwy ail bennill bob emyn. Na, doedd dim llawer i'w ddisgwyl gan hon fel gwraig gweinidog. Peth fach flin efo gwên ffals, a'i sgwrs yr un mor ddiysbryd â'i hymarweddiad. Fe drodd pob teulu tuag adref mor fuan ag y gallent wneud hynny heb ymddangos yn anghwrtais, gan adael dim ond Eurwyn a Dilys efo Leusa Puw a'i brawd, Wiliam.

Erbyn hynny roedd Leusa Puw hefyd yn dechrau cytuno â'r mwyafrif. Dim gair o glod gan yr hogan i'r cartref clyd a roesai Leusa i Eurwyn, dim canmoliaeth chwaith i'r wledd fach a gawsant yno heno, nac i'r llestri tseini gorau, a dim gair o gynnig i daro teisen ar blât nac i olchi'r domen o lestri oedd yn aros yn y gegin gefn. Nid bod angen cymorth ar Leusa—yn wir, roedd yn well ganddi wneud pethau yn ei ffordd ei hunan—ond fuasai hi ddim wedi brifo'r hogan i gynnig.

'Mae'n amlwg eu bod nhw wedi cymryd atat ti,' meddai Eurwyn dan ei wynt tra oedd Leusa a Wiliam yn hebrwng y teulu olaf at y drws. 'Roeddech chi i gyd yn sgwrsio fel hen ffrindiau erbyn y diwedd.'

Dychwelodd Wiliam i'r ystafell a throdd Eurwyn ato i drafod pwynt athronyddol yn codi o'i bregeth y noson honno. Mor fuan fyth ag y gallai, dywedodd Dilys fod yn rhaid iddi fynd, gan fwmian rhywbeth am oleuadau traffig ar ei ffordd adref.

Bu'n rhai dyddiau cyn iddi allu distewi ei meddyliau gwyllt ddigon i fedru ystyried dychwelyd i Bontheulyn o gwbl. Ond yn raddol fe giliodd yr hunllef a thrwy gymorth ambell weddi daer a llawer o sesiynau o siarad synnwyr cyffredin efo hi ei hun, fe lwyddodd Dilys i'w darbwyllo ei hun mai yn ei dychymyg yn unig yr oedd y rhwystrau a allai ei chadw rhag meithrin perthynas dda efo aelodau capel Moreia—neu gapel Eurwyn fel y galwai hi o yn ei meddwl bob amser.

Ac weithiau fe gredai hynny hyd heddiw. Am flynyddoedd wedi'i phriodas parhâi i weddïo bron bob nos am gael ei derbyn yn rhan o'r teulu mawr clòs hwnnw a gasglai o gwmpas y capel, ond fe beidiodd â gweddïo bellach, ac yn ddiweddar fe roddodd y gorau i'w hymdrechion i gadw'r hunllef draw. Yn awr, ni allai fentro drwy'r drysau derw ac i lawr y stribed carped glas tua'r sedd flaenaf ond un heb deimlo fod pob un yno'n ei chyhuddo. Ddywedodd neb erioed air o feirniadaeth wrthi nac ychwaith y tu ôl i'w chefn, ond i Dilys, dywedent y cwbl efo'u hwynebau. Yn yr un modd, ddyweden nhw ddim gair cas wrthi nac amdani wedi ei hab-senoldeb heno, ond fe fyddai'r awgrym mai peth gwan, diwerth oedd hi yn pasio o un i'r llall mor sicr â phetai pawb yn ei weiddi o bennau'r tai.

Canodd y cloc yn y parlwr. Saith o'r gloch. Neid-iodd Dilys o'i chornel gan lyncu'r diferyn olaf mor sydyn nes iddi golli jin ar ei blows. Rhedodd i'r gegin, golchodd y mỳg, aeth â'r botel lemonêd yn ôl i'r bag-llaw llwyd, a chuddiodd y bag y tro hwn yng ngwaelod y wardrob o dan dwmpath o'i siwmperi gaeaf trwchus. Yna brysiodd i'r ystafell ymolchi i ymolchi'i hwyneb a brwsio'i dannedd yn drwyadl. Wedyn llyncodd dalp o bast dannedd yn gyfan i wneud yn siŵr. Rhuthrodd oddi yno'n ôl i'r llofft i nôl persawr a'i roi y tu ôl i'w chlustiau ac ar flaen ei blows i guddio arogl y diferion jin a gollwyd yno. Yn ei brys, collodd bersawr ar ei sgert a'i choesau hefyd.

Er gwaethaf y persawr a'r past dannedd roedd Dilys yn dal i allu arogli'r jin arni ei hun wrth iddi arllwys y baned de a wnaethai Eurwyn iddi i lawr y sinc a'i olchi i lawr twll y plwg. Ond, meddyliodd, wrth iddi roi'r gwpan wag yn ôl ar y bwrdd coffi a'i gosod ei hun yn ôl yn swp yn ei chornel efo'r botel-ddŵr-poeth, efo dipyn o lwc ni ddeuai Eurwyn yn rhy agos ati tan ar ôl swper. Ac os gwnâi o, fe fyddai'r arogl persawr cryf o'i chwmpas yn siŵr o wneud iddo deimlo fel chwydu.

Byddai'r oedfa drosodd erbyn hyn ac Eurwyn wrthi'n ysgwyd dwylo ac yn holi hanes hwn a'r llall a oedd yn rhy wael, yn rhy ifanc neu'n rhy hen i fynychu'r oedfa. A byddai'n ateb y cwestiynau am Dilys efo gwên fach boenus a'i ateb arferol, 'Dydi hi ddim yn rhy ecstra heno.' Wrth gwrs, fyddai neb yn holi beth oedd yn bod. Byddai rhywbeth yn ei lais yn awgrymu mai 'pethau merched' oedd ei phroblem. Crensiodd Dilys ei dannedd.

Ond pan gamodd Eurwyn i'r ystafell fyw am ugain munud wedi saith, gwenodd Dilys, yn wan ond yn ddewr, a dweud ei bod yn teimlo'n llawer gwell ac y byddai'n mentro tamaid o swper.

Bore Llun

Roedd rhai boreau'n well na'i gilydd y dyddiau hyn, ond fore Llun deffrôdd Dilys yn teimlo'n wirioneddol sâl. Bron na allai hi gredu fod Duw barn yn mynnu dial arni am esgus bod yn wael y noson cynt.

Y tro cyntaf y canodd cloch y larwm, ceisiodd godi'i phen oddi ar y gobennydd ond teimlai'n chwil ddychrynllyd a disgynnodd yn syth yn ei hôl i orweddian. Ymhen pum munud, canodd y gloch eto. Mentrodd agor ei llygaid, ond saethodd golau gwyn, poeth drwy'i phen a threiddio i berfeddion ei hymennydd gan losgi a dryllio popeth oedd ar ei ffordd. Bu'n ymdrech ryfeddol iddi ei llusgo ei hun o'i gwely, gwisgo ac ymolchi, ac ni allai wynebu brwsio'i dannedd waeth pa mor ddifrifol oedd y blas sur, sych yn ei cheg.

Hanner ffordd i lawr y grisiau bu raid i Dilys afael yn dynn yn y canllaw ac oedi am funud. Ofnai mai disgyn i'r gwaelod fyddai ei hanes, ond cafodd nerth o rywle ar ôl sawl anadliad trwm i fynd yn ei blaen i'r gegin heb anffawd pellach. Roedd ei dwylo'n crynu wrth iddi geisio dal y tecell dan y tap i'w lenwi, a llwyddodd i gael llawn cymaint o'r dŵr oer drosti hi ei hun ag a gafodd yn y tecell. Doedd dim amdani ond mynd ar ei hunion i'r tŷ bach i lawr grisiau lle cadwai ei basged siopa a'i bag-llaw du. Yno, wedi cloi'r drws yn ofalus, ymbalfalodd yn y bag-llaw nes dod o hyd i'r botel risial o bersawr a gadwai mewn poced fechan yn ochr y bag. Agorodd ei cheg a gwasgu'r botwm ar ben y botel, gan yrru'r diferion manaf o jin yn syth i gefn ei gwddf. Eisteddodd yn ôl ar sedd y tŷ bach, caeodd ei llygaid a disgwyl i'w nerth ddychwelyd.

Yn ôl yn y gegin, llanwodd y tecell yn gymharol ddidrafferth, cymerodd y llefrith o'r ffrij a'i arllwys i'r jwg, huliodd y bwrdd ar gyfer brecwast, aeth i'r pantri bach wrth y drws cefn i nôl paced newydd o greision ŷd a thorrodd dafelli o fara ar gyfer tost. Wedi gwneud te, arllwysodd beth ohono i'r gwpan fawr las yr hoffai Eurwyn ei defnyddio yn y bore, gosododd ddwy fisgeden blaen yn y soser, ac aeth â'r baned i fyny'r grisiau.

Roedd hi'n dal yn gymharol dywyll yn y llofft gan fod Dilys bob amser yn gwisgo yn y gwyll rhag ofn iddi ddeffro'i gŵr drwy dynnu'r llenni'n ôl yn rhy fore. Y gwir ydoedd, wrth gwrs, mai go annhebyg y byddai mymryn o oleuni yn ei ddeffro pan oedd o wedi llwyddo i gysgu'n sownd drwy sŵn cloch y larwm dair gwaith eisoes.

Gosododd Dilys y baned ar y bwrdd bach wrth ochr Eurwyn o'r gwely, symudodd ei lyfr—cyfrol Saesneg ar hanes Beiblaidd—naill ochr rhag ofn iddo golli rhywfaint o'i de, ac yna cerddodd yn ddistaw ar draws yr ystafell i dynnu'r llenni'n ôl. Tywynnodd yr haul yn union ar wyneb Eurwyn, gan wneud i'w wallt a blaenau blew ei lygaid edrych yn euraid fel rhai ceriwb mewn hen ddarlun. Cwsg y gwirion fyddai Mam yn galw cwsg trwm fel yna, meddyliodd Dilys. Cawsai Dilys ddigon o addysg i wybod mai gwirion yn yr ystyr o fod yn ddibechod oedd ystyr y gair yn y ddihareb, ond y bore yma dewisodd anwybyddu'r addysg honno.

Safodd am funud eto yn syllu arno, ar ei wallt hardd, ei fochau gwyn llydan, ei drwyn syth a'i wefusau llawn, ac yna camodd tuag ato i'w ddeffro. Ond ar ôl dau gam cofiodd nad oedd hi wedi brwsio'i dannedd. Weithiau—nid yn aml, ond weithiau—byddai Eurwyn yn ei chusanu ben bore fel hyn a byddai'n siŵr o sylwi ar y blas sur oedd yn ei cheg. Rhuthrodd i'r ystafell ymolchi.

Ond ni fu'n rhaid iddi ofni, oherwydd yr oedd Eurwyn wedi codi o'r bwrdd brecwast ac ar fin mynd i eistedd yn yr ystafell fyw i ddarllen y *Daily Post* pan ddaeth o fewn hyd braich iddi am y tro cyntaf y bore hwnnw. Bryd hynny, a hithau wedi bod yn ymdrechu i ymddangos yn iach ac yn ysgafndroed gydol amser brecwast, y sylweddolodd Dilys mai ymweliad â'r feddygfa oedd yr union esgus yr oedd ei angen arni. Go brin y gallai hyd yn oed Eurwyn gyfrif ymweliad â'r meddyg yn wastraff petrol.

Cododd Eurwyn o'r bwrdd a phlygu i daro sws fach ddigon cyfeillgar ar foch Dilys. Yr un eiliad, trodd hithau'i phen i siarad ag ef a glaniodd y gusan, er dychryn i'r ddau ohonynt, ar ei cheg. Cymerodd Eurwyn gam sydyn yn ei ôl, gan daro yn erbyn y rac llysiau a thywallt tomatos ar hyd y llawr.

'Dwi'n meddwl y dylwn i fynd i weld Dr Prydderch,' meddai Dilys, yn falch fod plygu i hel tomatos yn esgus da dros beidio ag edrych i wyneb Eurwyn wrth ddweud ei chelwydd wrtho, 'rhag ofn i rywbeth gwaeth ddod o hyn. Wyt ti eisiau'r car y bore 'ma?'

'Nac ydw, siŵr,' atebodd yn syth bin. 'Ond os wyt ti'n teimlo'n giami, oni fyddai'n ddoethach iti ei gael o yma?'

'O, na, dwi ddim mor sâl â hynny, wsti. Dwi ddim hanner mor dila ag yr oeddwn i neithiwr, ond dwi ddim eisiau i hynny ddigwydd eto ac mi fyddai gair efo Dr Prydderch yn gwneud imi deimlo'n hapusach. Os ydi hi'n iawn efo chdi, mi ffonia i am apwyntment ar ôl golchi'r llestri brecwast.'

Wedi cadw'r llestri, bu Dilys yn ffugio prysurdeb am hanner awr gan nad oedd hi am godi'r ffôn efo Eurwyn yn eistedd lai na dwy lathen oddi wrthi. O'r diwedd, aeth o i fyny'r grisiau i'r lle chwech i wneud y croesair a gallai Dilys ffugio galwad ffôn ac wedyn lapio'r bag papur llwyd o'r cwpwrdd cefn yn ei chardigan a'i osod yng ngwaelod ei basged siopa. Llwyddodd i beidio ag ildio i'r demtasiwn a deimlai i yfed y diferion olaf o waelod y botel oedd yn y papur llwyd.

Y gamp wedyn oedd ei chadw'i hun rhag rhuthro i ffwrdd. Gwyddai na fyddai'r rhai a ffoniai'r feddygfa ar ôl naw yn cael apwyntment tan yn hwyrach yn y bore. Sodrodd ei hun yn ei chadair i ddisgwyl i Eurwyn ddod i lawr y grisiau ac yna dywedodd wrtho fod ganddi apwyntment am ugain munud wedi deg ac efallai y byddai hi'n gwneud tipyn o siopa yn y dref tra'i bod hi yno.

'Fyddai hi ddim yn well iti ddod yn syth adref iti gael gorffwys?' gofynnodd Eurwyn, yn ddigon rhesymol. 'Dwyt ti ddim eisiau i ddim byd . . .'

'Wna i ddim gwneud mwy na galw yn siop Elsi i gael anrheg pen-blwydd i Eira, ac efallai y medra i godi un neu ddau o bethau yn Tesco. Mi ddo i adre y munud y teimla i fy hun yn blino, dwi'n addo. Ac efallai y gwnaiff newid bach rywfaint o les imi.'

'Wyt ti eisiau imi ddod efo chdi'n gwmni?' gofynnodd wedyn.

Agorodd Dilys ei cheg i sgrechian Na! Na! Na! ond yn ei dychryn ddaeth dim allan. Gorfododd ei hun i reoli'i llais.

'Diolch, Eurwyn,' meddai rhyw lais pwyllog, call, na allai fod yn perthyn iddi hi, 'ond gwirion fyddai inni'n dau wastraffu'r bore. Wyt ti'n cofio dy fod ti wedi mwy na hanner addo galw i weld Dic Pritchard y bore 'ma. Fe fedri di gerdded yno ar fore braf fel hyn.'

'Wel, os wyt ti'n siŵr dy fod ti'n teimlo'n ddigon da i fynd dy hun. Mi roeddwn i wedi bwriadu galw yn nhŷ Dic ond mi fyddai'n ddigon hawdd rhoi caniad iddo a gohirio.'

'Na, wir, dos di yn dy flaen,' meddai Dilys, gan droi ato efo gwên gynnes. 'Neu,' meddai hi wedyn, 'mi fedrwn i dy ollwng di wrth gât Penrallt rŵan ac fe gei di gerdded adre wrth dy bwysau.'

'Dyna syniad da. Rho funud imi hel fy mhethau at ei gilydd ac fe gawn ni fynd.'

'Mi fydd rhaid imi fynd yn ystod y deng munud nesa os ydw i am fynd â thi i Benrallt cyn cychwyn am y dre. Mi wyddost mor anodd ydi cael lle i barcio o fewn dwy stryd i'r feddygfa.'

Cyn pen hanner awr yr oedd Dilys yn gyrru i lawr y stryd nesaf at stryd y feddygfa. Daeth rhyw gryndod bach rhyfedd drosti wrth iddi feddwl beth fyddai'r canlyniad petai Eurwyn yn digwydd cwrdd â Dr Prydderch yn ystod y dyddiau nesaf, efallai wrth alw yng nghartref un o'r cleifion yn y pentref i gynnig y cymun iddo a hithau'n wythnos y Pasg. Efallai y dylai hi fod wedi gwneud apwyntment go iawn ac esgus fod ei phoenau wedi dychwelyd mewn gwirionedd. Ond yr oedd arni ormod o ofn

25

llygaid duon, craff Dr Prydderch. Ni fyddai ei dwyllo ef mor hawdd â thwyllo Eurwyn.

Parciodd Dilys y car yng nghornel ddistawaf y maes parcio yng nghanol y dref. Yna, tynnodd y botel werdd o'r papur llwyd a'i gwagio mewn un dracht sydyn cyn ei lapio'n ôl a'i gosod yn y bin tra bod y maes parcio'n dal yn wag.

Galwodd gyntaf yn y siop anrhegion a llyfrau Cymraeg ym mhen uchaf y Stryd Fawr. Yno cafodd sgwrs efo Elsi, a oedd yn byw ym Mhontheulyn, a phrynodd lyfr lliwgar ar gyfer pen-blwydd Eira, nith hynaf Eurwyn. Aeth i'r siop bapur newydd ar y sgwâr nesaf, lle prynodd gylchgrawn merched iddi hi ei hun a llyfryn bach diddorol ar hanes lleol a fyddai'n siŵr o blesio Eurwyn. Yna, a'i dylet-swyddau wedi'u cwblhau, trodd ei meddwl at wir bwrpas ei siwrnai. Cerddodd ar draws y sgwâr i siop Tesco. Yno prynodd bwys o ham ffres, hanner pwys o salad Rwsiaidd, torth frith, paced o dda-da mintys cryf a photel o jin. Gwthiodd y botel jin o dan y nwyddau eraill yn y fasged wifrau, ac edrychodd o'i chwmpas i sicrhau nad oedd yno neb a fyddai'n ei hadnabod, ond ychydig oedd yn y siop y bore hwnnw.

Teimlai Dilys yn weddol ddiogel yno heddiw. Anaml y mentrai neb o boblogaeth oedrannus Pontheulyn i'r Llan ar ddydd Llun. Dydd Mawrth oedd eu diwrnod siopa, diwrnod marchnad y dref pan ddarperid unig fws yr wythnos o Bontheulyn i'r Llan. A byddai trigolion Pontheulyn a weithiai yn y dref yn ddiogel yn eu swyddfeydd a'u ffatrïoedd a'u siopau erbyn hyn. Eto i gyd, aeth Dilys at y til lle'r eisteddai merch na fu hi ati i dalu ers wythnosau, ond go brin fod honno wedi sylwi beth oedd yn y fasged nac yn malio dim chwaith. Câi Dilys ryw foddhad o geisio bod yn glyfar trwy amrywio pa dil yr âi ato, yn yr un modd ag y byddai'n amrywio'r siopau y prynai ei jin ynddynt. Pan agorodd ei phwrs i dalu, gwelodd ei bod yn gwario'i phapur decpunt olaf. Doedd dim amdani ond galw yn y banc.

Ar adegau fel hyn roedd Dilys yn falch iddi gadw ei chyfrif banc ei hun mewn banc gwahanol i un Eurwyn. Ac fel arfer dewisai dynnu'i harian o'i chyfrif drwy ddefnyddio'r peiriant yn y wal y tu allan rhag ofn i aelodau'r staff sylwi ar amlder ei hymweliadau i godi arian. Ond gwyddai mai dim ond ychydig o bunnoedd oedd ar ôl yn ei chyfrif arian parod. Byddai'n rhaid iddi drosglwyddo arian o'i chyfrif cadw unwaith yn rhagor. Gofynnodd hefyd am ddatganiad yn y fan a'r lle o'r swm oedd yn weddill o'r arian a adawsai ei Modryb Nel iddi. Digon. Ond os parhâi Dilys i dynnu arian o'r cownt mor aml ag y buasai'n gwneud yn ystod y flwyddyn ddiwethaf, fe fyddai'r celc a oedd mor bwysig i'w hannibyniaeth yn mynd yn llai ac yn llai. Efallai ei bod yn bryd cael gair efo Eurwyn eto am y posibilrwydd y dylai chwilio am swydd.

Y peth anodd wedyn oedd ceisio peidio â dangos faint oedd ei brys. Bu raid iddi aros ddwywaith i dorri gair efo rhyw gydnabod, neu yn hytrach cydnabod i Eurwyn, cyn cyrraedd y car. Ond o'r diwedd roedd hi'n eistedd mewn adwy cae ar lôn ddistaw ryw dair milltir o'r Llan ar yr ochr bellaf oddi wrth ffordd Pontheulyn.

Unwaith y peidiodd yr injan, cymerodd ddracht o ddiod yn syth o geg y botel drom. Yna gwthiodd sedd y gyrrwr yn ôl, agor y ffenestr a syllu allan ar hedd yr olygfa o'i chwmpas. Roedd hi'n ddiwrnod hynod o braf, mwy fel mis Mai na dechrau Ebrill. Sgytiai ciwed o gymylau bychain, gwynion un ar ôl y llall ar draws yr awyr las a chwaraeai'r awel yn dyner efo'r blodau menyn a dyfai dan y gwrych led braich oddi wrth ddrws y car.

Mwynhâi Dilys y profiad hyfryd hwn o deimlo'r greadigaeth yn rhan ohoni, a hi ei hun yn rhan annatod o'r greadigaeth honno. Fel aml i fab fferm, yr oedd Eurwyn, er gwaethaf ei gyfeiriadau aml at y Creawdwr yn ei bregethau, yn gwbl ddall i ogoniant byd natur o'i gwmpas. Nid felly Dilys. Os gwelai hi Dduw yn unman mwyach, yn y cymylau blewog, perffaith y'i gwelai, ac yng nglesni'r awyr, yn y gwynt, y glaw a'r heulwen. Petawn i ddim mor amheus o'm ffydd yn y Duw a greodd hyn oll a minnau hefyd, meddyliodd, fyddai dim angen yr hen botel 'ma arna i. Onid ydw i wedi gweddïo a gweddïo arno i roi stop ar y lol 'ma?—a dyma fi'n gwaethygu. Petawn i heb osgoi'r oedfa neithiwr fe fyddai'r botel arall wedi parhau tan fory, ac mi fyddwn i wedi medru prynu un newydd ym Mangor lle na fyddai neb yn 'y nghofio i.

Fe wyddai Dilys y gallai roi'r gorau i'r yfed pe mynnai wneud hynny o waelod calon. A gwyddai na fu ei gweddïau ar y pwnc yn weddïau mewn gwirionedd, dim ond geiriau gwag ar ei gwefusau nad oedd iddynt wreiddiau y tu mewn iddi. Cofiodd ei mam yn sôn rywbryd am y drafferth ofnadwy a gawsai i gael Dilys fach i roi'r gorau i'w photel ac i yfed allan o gwpan—yn wir roedd ar ei Mam gywilydd ohoni. Ni fyddai mor anodd gwneud hynny nawr. Petai ganddi ryw bwrpas arall mewn bywyd, fyddai dim angen y ddiod arni; wedi'r cwbl, doedd hi ddim yn feddwyn.

Cofiodd am y blas cyntaf hwnnw a gawsai yn ystafelloedd newid yr ysgol ers talwm. Samantha Ellis oedd wrth wraidd yr helynt ac, a bod yn deg, hi gafodd y rhan fwyaf o'r bai. Gallai Dilys glywed llais yr hen Bibydd Brith mor glir â phetai hi unwaith eto'n sefyll ar garped lliwgar ystafell y brifathrawes a llygaid ei mam yn llosgi twll yn ei chefn.

'There's no real harm in your daughter, Mrs Edwards,' meddai'r llais hwnnw, yn ddifrifol ond yn eithaf caredig, *'She's just easily led.'*

'She's a good girl really, Miss Piper.' Roedd llais Mam fel triog o felys. *'I'll make sure she causes no more trouble.'*

Ac fe wnaeth. Unwaith yr oedden nhw wedi croesi'r hiniog aeth Beryl Edwards i'r wardrob yn y llofft i nôl y strap a adawsai ei gŵr yno, a rhoddodd i Dilys gosfa nad anghofiai mohoni byth. Ond nid oedd angen y strap i ddarbwyllo Dilys bryd hynny nad peth i chwarae ag ef oedd diod feddwol. Dioddefodd boenau llawer gwaeth y noson honno na'r rhai a achoswyd gan y strap. Gydol ei hoes fe fyddai blas ceirios ar unrhyw beth yn wrthun iddi.

Mae'n debyg mai anrheg a gawsai rhieni Samantha Ellis oedd y botel frandi ceirios. Bu yn eu cwpwrdd er y Nadolig, yn ôl Samantha, a neb wedi cyffwrdd ynddi, felly go brin y byddai neb yn sylwi ei bod hi wedi mynd. I Dilys, yr oedd yn anodd dychmygu mam na fyddai'n sylwi ar beth felly; fe fyddai ei mam hi'n sylwi petai unrhyw beth yn unman yn y tŷ wedi symud cymaint â chwarter modfedd o'i briod le.

Newydd symud i'r ardal o rywle yn Lloegr yr oedd teulu Samantha Ellis, er mai Cymry oedden nhw, a Samantha'n reit rugl ei Chymraeg o gofio mai dros Glawdd Offa y bu'n byw er pan oedd hi'n chwech oed nes iddi droi pedair ar ddeg. Daeth Samantha â blas y ddinas soffistigedig i enethod cefn gwlad diniwed, tebyg i'r hyn a welent ar y teledu. Byddai ei gwallt melyn—rhy felyn—bob amser wedi'i drefnu'n gyrls artistig dros ei phen, ac er mai cardigan a sgert las tywyll a chrys gwyn a wisgai hi fel pob geneth arall yn Ysgol Ramadeg y Merched, rywsut yr oedd ei dillad hi'n ffitio'n well amdani na rhai neb arall. Fe wisgai Samantha Ellis bersawr a mascara i'r ysgol er bod hynny yn erbyn y rheolau.

Doedd fawr o ots gan Samantha am reolau. Pethau i'w torri oedden nhw iddi hi. Dyna ddywedodd hi'r diwrnod y daeth hi â'r botel frandi ceirios i'r ysgol a mynnu fod Christine Hughes a Dilys yn dod i'r ystafelloedd newid i gael blas bach. Gofynnodd Samantha'n bowld i Miss Griffiths, yr athrawes chwaraeon, a fyddai hi'n bosibl iddyn nhw gael menthyg y goriad er mwyn iddyn nhw chwarae badminton amser cinio. Ond wnaethon nhw ddim hyd yn oed esgus chwarae, na newid eu dillad chwaith, dim ond llymeitian. Cegiad bach petrus i ddechrau, a chael bod y blas yn felys, bron fel da-da, yna tipyn mwy, a mwy eto rhag ymddangos yn llai o giamstar na'r ddwy arall.

Daeth y bendro dros y tair ohonynt yn sydyn pan ganodd y gloch ar gyfer gwersi'r prynhawn a hwythau'n ceisio codi ar eu traed. Gwelodd Dilys Samantha'n taflu'r botel wag i'r gwrych wrth gornel y cae pêl-droed. Roedden nhw'n hwyr yn cyrraedd yr ystafell ddosbarth a bu raid iddynt dorri ar draws gwers Hanes yr ail flwyddyn i nôl eu llyfrau o'u desgiau. Fedren nhw ddim peidio â chwerthin yn eu gwers Gerddoriaeth, a chawsant bryd o dafod gan yr athrawes.

Yn ystod gwers olaf y prynhawn aeth pethau o ddrwg i waeth. Gwers Gymraeg oedd hi, a chan fod yr athrawes, fel ei disgyblion, wedi hen alaru erbyn gwers olaf prynhawn dydd Iau, y drefn wythnosol oedd eu bod yn darllen nofel, a phob merch yn ei thro yn darllen rhyw baragraff neu ddau. *Gwen Tomos* oedd y llyfr a ddewiswyd ar gyfer y tymor hwnnw, ac fe gâi'r genethod y gwersi hyn yn rhai digon diflas. Yr oedd gwres yr ystafell a'r haul ar y ffenestr bob amser yn tueddu i wneud i Dilys deimlo'n gysglyd yn ystod y gwersi darllen, a'r prynhawn arbennig hwnnw teimlai gwsg yn cau amdani a hithau'n ddiymadferth i'w wrthsefyll.

Pan ddaeth tro Dilys i ddarllen roedd hi'n cysgu'n sownd, ac er i Helen Jones yn y ddesg nesaf ei phwnio a sibrwd 'Dil! Dil!' mor uchel ag y meiddiai, ni lwyddwyd i'w deffro nes i Miss Williams Welsh ddod ati a'i sgytian gerfydd ei hysgwydd.

Trodd Dilys lygaid niwlog tuag ati. Ar yr ail gynnig, llwyddodd i wneud rhyw fath o synnwyr o lais yr athrawes a chlywodd y gorchymyn ar iddi sefyll. Ond wrth iddi geisio ufuddhau fe wrthododd ei phennau gliniau â'i dal hi i fyny ac fe syrthiodd yn swp yn ôl i'w chadair. Ac yna, heb rybudd o fath yn y byd, fe fu hi'n sâl, yn sâl iawn dros draed Miss Williams.

Mi fyddai aml i athrawes wedi cymryd yn ganiataol mai salwch digon naturiol oedd achos peth felly mewn geneth bedair ar ddeg oed, ac wedi dangos tosturi tuag at y beth fach. Ond yr oedd Miss Williams wedi gweld mwy o'r byd nag y byddai neb yn feddwl o edrych arni, ac roedd hi'n amau'n syth beth oedd wrth wraidd y salwch. Dechreuodd Dilys trwy wadu iddi fod yn yfed o gwbl, yna mynnodd iddi fod yn yfed ar ei phen ei hun. Ond un wael oedd hi am ddweud celwydd bryd hynny ac fe ddaeth y stori i gyd i'r golwg.

Rhwng y salwch dychrynllyd a'r cywilydd a deimlai'n pwyso arni, cafodd Dilys hi'n anodd iawn wynebu'i chyd-ddisgyblion pan ddychwelodd i'r ysgol fore Llun. Ond doedd Samantha Ellis ddim gwaeth, a pharhaodd i fod yn wahanol i bawb arall am weddill ei gyrfa ysgol, er na lwyddodd i ddenu Dilys i'w chylch o gyfeillion byth wedyn.

Y jôc oedd fod Samantha Ellis, y rebel y bu pawb yn rhag-weld diwedd drwg iddi, wedi mynd yn ei blaen i ennill gradd dda yn y Gyfraith ac wedi priodi cyd-gyfreithiwr a hanai o deulu go ddylanwadol yng ngogledd-orllewin Lloegr. Erbyn hyn yr oedd o'n aelod seneddol Toriaidd a hithau'n un o bileri'r sefydliad, yn brysur yn trefnu ffeiriau haf ac yn ffurfio pwyllgorau i gasglu arian at achosion da. Rhoddai hynny esgus i fam Dilys gyfeirio at Samantha o dro i dro a difaru na fyddai ei merch hi wedi gwneud cystal â'i ffrind. Ryw ddiwrnod fe gâi Dilys yr asgwrn cefn i ateb mai dim ond blas y strap ar ei chefn a deimlodd hi ar yr unig achlysur y bu iddi gynnig dilyn esiampl Samantha Ellis.

Daeth tractor yn tynnu llwyth o dail i fyny'r lôn gul tuag at gar Dilys. Prin y sylwodd hi arno, gymaint yr oedd hi'n mwynhau'r ysbaid hwn o eistedd a synfyfyrio, ond buan y sylweddolodd fod y gyrrwr am iddi symud ei char, er mwyn iddo ef gael troi drwy'r gât i'r cae. Wedi iddi wneud hynny, fe oedodd am rai eiliadau ychydig o ffordd i lawr y lôn i lapio'r botel yn dwt yn ei phapur llwyd ac yna ei chardigan a'i gosod yn ôl yng ngwaelod ei basged siopa. Yna ailgychwynnodd y car, a phenderfynodd wynebu Eurwyn ar ei hunion gyda'i syniad i chwilio am swydd. Gwyddai na fyddai anadlu arogl jin drosto wrth iddi ddadlau'i hachos ger ei fron yn gwneud dim lles iddi, felly bu'n sugno da-da mintys yr holl ffordd adref.

Ond pan gyrhaeddodd Dilys y tŷ, nid oedd Eurwyn wedi dychwelyd o Benrallt. A rywsut roedd hi'n anodd ailennyn y tân dadleuol pan gyrhaeddodd o, a hithau erbyn hynny ar ganol ffrio cig moch efo un llaw, a throi'r cwstard efo'r llall.

Bore Mawrth

Lai nag ugain munud ar ôl cychwyn o Bontheulyn yr oedd Dilys wedi dechrau difaru'i henaid iddi gynnig mynd â Martha Parry i'r ysbyty ym Mangor. Fe ddylai hi fod wedi gadael i'r hen gnawes fynd mewn ambiwlans; tebyg fod dynion ambiwlans wedi hen arfer cael eu mwydro fel hyn, ac yn medru dygymod â'r peth yn well na hi. Os oedd coesau'r hen Fartha yn wan, doedd dim byd o'i le ar ei thafod, a bu'n holi Dilys yn ddidrugaredd ers cyn iddi danio'r injan. Roedd hi'n dechrau mynd i hwyl erbyn hyn.

'Fe fydd yn braf i chi gael cwmni'ch mam am dipyn,' meddai'r hen wreigan. 'Am faint mae hi am aros efo chi, Mrs Roberts bach?'

'Dim ond tan ddydd Llun,' atebodd Dilys yn ei llais mwyaf pwyllog. 'Mae'n rhaid iddi fynd yn ôl at ei gwaith fore dydd Mawrth.'

'O, wela i. Ydi hi'n gweithio drwy'r dydd, ynte jyst awr neu ddwy?'

'Llawn amser.'

'A be mae'ch mam yn ei wneud, Mrs Roberts?'

'Mae hi'n gweithio mewn siop ddillad, Mrs Parry.'

'Dowcs! Fuo hi yno'n hir?'

'Ers rhyw ddeng mlynedd, mae'n siŵr, erbyn hyn.'

'Ac yn lle mae'r siop?'

'Yn Wrecsam.'

'Tewch â dweud. A finnau'n meddwl mai o Gaer-narfon yr oeddech chi'n dŵad.'

'Nage. Ond yng Nghaernarfon yr oeddwn i'n dysgu cyn priodi Eurwyn.'

'Dydach chi ddim yn swnio fel un o Wrecsam chwaith,' meddai hi wedyn, yn gwbl ddihitio.

'Na, does gen i ddim cysylltiad â'r ardal ond fod Mam wedi symud yno i fyw. Fe aeth hi yno i setlo pan es innau i'r coleg.'

'Dim ond y chi a'ch mam oedd yna, felly?'

'Ia.'

'Gwraig weddw ydi'ch mam, ia?'

'Ia.'

'Peth anodd ydi colli gŵr.' Gobeithiai Dilys ei bod hi ar fin troi ei sylw at ei phroblemau ei hun, ond na.

'Fu eich mam a'ch tad yn briod yn hir? Fe gafodd Ifan a minnau dros ddeugain mlynedd, wyddoch chi.'

'Do wir? Mae'n siŵr ei bod hi'n golled fawr ar ei ôl o.'

'Ydi wir. A'ch mam?'

'Wel, fu hi ddim yn briod yn hir iawn. Llai na blwyddyn i gyd. Fe laddwyd fy nhad cyn imi gael fy ngeni.'

'Wyddwn i ddim, 'mechan i. Dyna beth ofnadwy. Damwain oedd hi?'

'Roedd o yn y fyddin.'

Aeth Martha Parry'n ddistaw am funud gron; ceisiodd Dilys ganolbwyntio ar yrru ond gallai bron iawn glywed ymennydd yr hen wraig yn gwncud symiau.

'Siawns eich bod chi'n rhy ifanc o beth gythraul i gael eich geni adeg y rhyfel,' meddai hi o'r diwedd.

'Adeg Suez oedd hi.'

'Diawc, chlywais i erioed am neb gafodd ei ladd yr adeg honno. Wyddwn i ddim fod yna ladd milwyr wedi bod. Diawc, fe fu'ch tad yn anlwcus.'

Roedd Dilys yn berwi o eisiau gweiddi neu chwerthin, nid oedd yn siŵr bellach pa un.

'Ychydig iawn wn i am y peth, Mrs Parry,' meddai, wedi cael rheolaeth ar ei llais. 'Doeddwn i ddim wedi cael fy ngeni, a dydi Mam ddim yn hoff o siarad am y cyfnod hwnnw.'

A chyn i'r hen gnawes gael cyfle i feddwl am gwestiwn arall neidiodd Dilys i'r bwlch efo'i chwestiwn ei hun.

'A sut mae'ch merch chi erbyn hyn? Wnaethoch chi ddim sôn ei bod hi'n disgwyl babi arall?'

Fe wnaeth hynny'r tric. Cyn pen dim yr oedd Martha wedi ymgolli'n llwyr yn hanes ei theulu niferus a'u holl anhwylderau. Diolch byth, meddyliodd Dilys. Pam na fuasai hi wedi meddwl holi am ei theulu'n gynt?

Cyraeddasant faes parcio Ysbyty Gwynedd fel yr oedd Martha'n rhestru manylion gwaedlyd genedigaeth ei hwyres gyntaf. Gobeithiai Dilys y byddai'r holl firi o gael yr hen wraig o'r car i'r gadair-olwyn ac i mewn i'r ysbyty'n ddigon i roi pen ar y stori honno, ond daliodd i baldaruo am boenau a phwythau bob cam at y ddesg.

Unwaith yr oedd hi yn y cyntedd, gwelodd Martha nifer o'i chydnabod, bob un ohonynt yn fwy musgrell ac yn fwy oedrannus na hi ei hun, a chafodd Dilys orchymyn i'w gwthio at bob un ohonynt yn ei dro nes cyrraedd ei ffrind pennaf un, rhyw hen greadures o gyffiniau Aberdaron a oedd yn cael trafferth cadw'n effro ar ôl cael ei chodi'n gynnar i fynd yn yr ambiwlans. Anfonwyd Dilys i nôl paned a bisgedi i'r ddwy ohonynt ac i fab yr hen wreigan o Aberdaron, a oedd ei hun yn ddigon hen i fod yn dad i Dilys. Parablodd Martha'n ddedwydd â'i ffrind tra oedd Dilys yn trio dod o hyd i rywbeth i'w ddweud wrth y mab. Ddywedodd ef na'i fam fawr ddim.

Trwy lwc, galwyd y ddwy hen wraig i'r ystafell aros ar yr un pryd. Ac wedi i Dilys a'r dyn di-sgwrs wthio'r ddwy gadair-olwyn i gornel bellaf yr ystafell lle gallai Martha a'i ffrind weld pawb a phopeth, cafodd Dilys ganiatâd i ddiflannu am ryw awr. Addawodd ddychwelyd erbyn un ar ddeg fan bellaf ac aeth cyn i Martha newid ei meddwl.

Ble nesaf? Pan gynigiodd Dilys sbario nerfau Eurwyn a hebrwng yr hen Fartha i'r clinig yn ei le, ei bwriad oedd mynd i mewn i ddinas Bangor am awr i brynu anrheg pen-blwydd i Eira a photel o jin. Roedd y ddwy dasg honno wedi'u cyflawni ddoe.

Pan gyrhaeddodd hi'r cyntedd, ystyriodd aros yno i gael paned a phrynu cylchgrawn i'w ddarllen, ond yr oedd arogl y lle, gwisgoedd y nyrsus a'r meddygon, a'r awyrgylch anniffiniadwy hwnnw sy'n gyffredin i bob ysbyty yn ennyn gormod o atgofion. Gwyddai Dilys na allai eistedd yno am yn agos i awr a hanner.

Trodd ei char i gyfeiriad canol dinas Bangor, gan feddwl cymryd tro o gwmpas y siopau. Wnâi hi ddim drwg i brynu potel arall yma lle doedd neb yn ei hadnabod. Ac cto dacthai'n rhyw fath o ofergoel-edd ganddi bellach i beidio â chael mwy nag un botel ar y tro. Bob tro y prynai botel, roedd hi'n benderfynol mai honno fyddai'r botel olaf y byddai'n ei phrynu. Yr oedd am roi'r gorau i'r hen yfed yma ar ôl hon. Byddai cadw stoc o boteli sbâr yn gwneud iddi deimlo fel petai hi'n yfed o ddifrif yn hytrach nag yn mwynhau diferyn o dro i dro i dorri ar ddiflastod byw bob dydd.

Cafodd Dilys le parcio'n rhyfeddol o sydyn, a lai na chanllath oddi yno cafodd siop ddiodydd a oedd yn gwerthu jin yn rhad. Setlodd hynny'r mater. Prynodd botel ohono ar unwaith, ac roedd hi wedi cychwyn yn ôl am y car cyn iddi sylweddoli y dylai brynu rhywbeth arall i gyfiawnhau ei hymweliad â'r siopau. Fedrai hi ddim cyfaddef hyd yn oed iddi hi ei hun mai mynd yno i brynu potel o ddiod feddwol a wnaethai.

Ar rac y tu allan i siop esgidiau gwelodd bâr o sandalau o'r union liw y bu'n chwilio'n ddiddiwedd amdanynt yr haf diwethaf. Wedi sicrhau eu bod hefyd yn gyfforddus dros ben, fe'u prynodd gan deimlo'n falch iawn efo hi ei hun.

Doedd hi ddim ond chwarter wedi deg pan gyrhaeddodd hi'n ôl at y car a phenderfynodd Dilys fynd am dro ar lan y Fenai ym Mhorthaethwy, un o'i hoff fannau ers dyddiau coleg. Yr oedd hi'n hyfryd o ddistaw yno heddiw, heb neb o gwmpas ond un pâr oedrannus efo ci bach gwyn, ac ambell wylan. Adlewyrchai goleuni'r haul oddi ar y dŵr i orchuddio popeth efo rhyw des melyn, hudolus. Ond unwaith yr eisteddodd Dilys ar fainc yn wynebu Ynys Tysilio i sipian o'i photel lemonêd, fe wyddai mai camgymeriad oedd mynd yno. Bu yno droeon ar achlysuron o bob math, ond ni allai beidio â chofio'r tro diwethaf yn hytrach na'r holl droeon dedwydd cyn hynny.

Ddeunaw mis yn ôl oedd hi. Cawsai ei rhyddhau o'r ysbyty am un ar ddeg a chafodd Eurwyn y syniad o ddod yma am bicnic cyn ei throi hi am adref. Ei fwriad oedd codi'i chalon trwy ddod â hi i rywle lle bu iddynt dreulio oriau dedwydd yn ystod eu dyddiau coleg. Ond ni allai Dilys fwyta bron ddim o'r picnic y bu iddo fynd i'r fath drafferth i'w baratoi a chafodd y gwylanod wledd i'w chofio. Ni allai chwaith y diwrnod hwnnw ymhyfrydu yn harddwch a llonyddwch y lle na mwynhau'r awel dyner a godai o'r dŵr. Ar ôl eistedd yno am ugain munud neu fwy yn chwilio am rywbeth i'w ddweud, aeth Eurwyn â hi adref i'w gwely.

Mae profiad ysgytwol yn cael effaith wahanol ar wahanol bobl, medden nhw. Gwyddai Dilys ei hun am bobl a oedd wedi mynd yn beryglus o denau neu wedi colli'u gwallt bron dros nos dan amgylchiadau felly. Ond cysgu neu hanner cysgu fu ei hanes hi ei hun. Efallai mai dyna oedd ei ffordd hi o gadw ei meddwl yn wag rhag iddi orfod wynebu'r gwirionedd. Yn sicr, yr oedd yn ffordd o osgoi Eurwyn a'i dosturi a'i ymdrechion parhaus i godi'i chalon. Ni chroesodd feddwl Dilys yn ystod y cyfnod du hwnnw fod Eurwyn yntau wedi dioddef siom, fod angen cysur arno ef hefyd, a rhywbeth, unrhyw beth, i godi'i galon. Caeodd Dilys ei hun i ffwrdd oddi wrtho bron yn gyfan gwbl. Wedi'r cwbl, hi oedd yr un fu â'i bryd ar gael plentyn. Dim ond eisiau iddi hi aros gartref yr oedd ef.

Bu'n achos cynnen rhyngddynt er dyddiau cynnar eu priodas. Teimlai Eurwyn mai dyletswydd Dilys oedd rhoi'r gorau i'w swydd a bod yn wraig llawn-amser iddo ef, yn darparu prydau bwyd rheolaidd ar ei gyfer ac yn ei helpu yn ei ymwneud ag aelodau Moreia. Dylai Dilys ddod yn wraig gweinidog broffesiynol, yn ymweld yn gyson â'r cleifion, y methedig, a'r oedrannus, yn trefnu cylchoedd gweddi a chyfarfodydd y chwiorydd, yn wir, fe ddylai fod yn asgwrn cefn i holl weithgareddau'r pentref.

Gwyddai Dilys nad oedd hi'r math o ferch a allai'i thaflu'i hun i fywyd felly. Roedd hi wedi dweud hynny'n blaen wrth Eurwyn flynyddoedd cyn iddynt briodi, ac yr oedd ef yn ymddangos fel petai wedi derbyn y sefyllfa. Gwyddai Dilys bellach mai gohirio'r mater yn unig a wnaethai.

Elfen annisgwyl yn y frwydr oedd darganfyddiad Dilys ei bod yn mwynhau dysgu a bod ganddi ddawn ni wyddai amdani cynt i drosglwyddo gwybodaeth i bobl ifainc ac i ennyn eu chwilfrydedd. Fel cymaint o bobl ifainc eraill, aethai i'r coleg addysg am nad oedd ei chanlyniadau lefel A'n ddigon da iddi fynd i'r brifysgol. Ni chafodd unrhyw bleser o'i chyfnodau o ymarfer dysgu ac felly peth hollol annisgwyl iddi oedd y pleser a deimlai o ddarganfod ei bod yn athrawes effeithiol dros ben.

Erbyn iddi briodi Eurwyn, gwyddai Dilys mai'r unig beth a fyddai'n ei pherswadio i roi'r gorau i'w swydd fyddai iddynt ddechrau eu teulu eu hunain —a hynny rywbryd yn y dyfodol. Ond prin yr oedd hi wedi setlo yn ei swydd newydd a dechrau arfer efo'r ysgol newydd, y staff newydd, a'r plant yn ei galw'n 'Mrs Roberts', pan ddechreuodd Eurwyn swnian arni i roi'r gorau i ddysgu.

'Mi wn i nad ydi'r arian cynhaliaeth yn ffortiwn,' meddai, gan ledu'i ddwylo fel y gwnâi bob tro y ceisiai fod yn arbennig o resymol, 'ond mae o'n ddigon.'

'Nid sôn am bres rydw i, Eurwyn.'

'A dydan ni ddim yn rhai am wario'n wirion,' parhaodd Eurwyn hyd ddiwedd ei araith fach barod.

'Mi wn i hynny,' atebodd Dilys, yn ceisio cadw'i thymer dan ffrwyn. 'Mi wn i y medrwn ni fyw—byw yn gynnil, cofia, ond byw—heb fy nghyflog i, ond nid y pres sy'n fy mhoeni i, Eurwyn, wir. Dwi'n mwynhau dysgu, dwi'n mwynhau bod yn yr ysgol efo'r plant a'r athrawon eraill, a wel, damia, dwi'n credu 'mod i'n athrawes reit dda ac mi rydw i'n teimlo 'mod i'n gwneud cyfraniad i . . . i gymdeithas trwy fy ngwaith efo'r genhedlaeth nesa.'

Roedd y cwbl wedi byrlymu allan o'i cheg ar unwaith. Stopiodd i gael ei gwynt, a chollodd ei mantais.

'Ond, wel'di,' ailgychwynnodd Eurwyn, 'yr union ddoniau sy'n dy wneud di'n athrawes dda a fyddai'n dy wneud di'n effeithiol fel gwraig gweinidog go iawn. Mi fyddet ti'n gefn i bobl Pontheulyn, yn ganolbwynt i lu o weithgareddau bychain. Mae gan bobl y pentref ddigon o ddoniau i'w cyfrannu ac mi hoffen nhw gael mynegiant i'w doniau—cylch llenyddol, clwb garddio, cyfarfodydd gosod blodau ac efallai weithgareddau chwaraeon a diddordebau ar gyfer y bobl ifainc. Mi faset ti, fel athrawes, yn medru trefnu pethau felly.'

Ni wyddai Dilys ble i ddechrau.

'Mae'n bryd i bobl Pontheulyn sylweddoli na roddwyd athrawon ar y ddaear 'ma i fod yn gadeiryddion a reffarîs. Mae rhai athrawon wrth eu boddau'n trefnu pethau o'r math yma, ond nid un felly ydw i. Petawn i'r teip iawn mi fedrwn i drefnu'r holl bethau yna yn f'oriau hamdden ond does gen i ddim dawn o gwbl i drefnu pethau. Efallai mai dyna pam dwi i mor gartrefol yn yr ysgol; mae'r drefn yno'n barod, does dim ond gofyn i mi ffitio iddi. A beth bynnag, dwi ddim am wastraffu hynny o ddoniau prin sy gen i fy hun er mwyn helpu pobl i ddatblygu doniau y gallan nhw'n hawdd eu datblygu drostyn nhw'u hunain.'

'Rwyt ti'n afresymol rŵan, Dil.'

Roedd yn amlwg fod Eurwyn wedi gwylltio, oherwydd fe ymadawodd â'i restr o benawdau, gan anghofio cyfeirio at y boddhad y byddai Dilys yn ei gael o fod yn llyw ac angor y gymuned leol, ac aeth yn syth at graidd y mater.

'Mae gen i lawer gormod ar fy mhlât, rhwng ymweld ag aelodau, sgwennu pregethau a pharatoi cofnodion cyfarfodydd misol, heb orfod gwneud bwyd imi fy hun bob dydd. Mi fyddai'n llawer haws i mi petaet ti'n gwneud pryd amser cinio.'

'Ond mi rydw i'n ei baratoi o bob dydd, Eurwyn. Y cwbl y mae gofyn iti ei wneud ydi naill ai taro'r peth yn y popty neu ei gynhesu mewn sosban.'

'Ie, ond dwyt ti ddim yma. A phan nad wyt ti yma, dydi'r car ddim yma. Pan fydd arna i eisiau mynychu cyfarfod neu alw ar aelod sy'n byw yn bell o ganol y pentref, dwi'n gorfod dibynnu ar bobl eraill o hyd.'

'Pam na ddeudi di'n blaen beth ydi dy wir wrthwynebiad?' sgrechiodd Dilys, gan ei dychryn ei hun bron gymaint ag Eurwyn. 'Dyw dibynnu ar gyflog dy wraig a gorfod gofyn iddi am fenthyg y car ddim yn cyd-fynd efo dy syniad di o'r parch sy'n ddyledus i ti fel parchedig. Yr hyn hoffet ti fyddai i mi aros yma'n forwyn ddigyflog, tra dy fod ti'n ei jolihoitian hi o gwmpas y lle yn y car bob dydd. Wel, a ga i'ch atgoffa chi, O Barchedig, mai arian a gefais i ar ôl fy Modryb Nel a dalodd am y car, ac mai fy nghyflog i sy'n talu am ei gynnal o. Allet ti ddim fforddio car da fel hwnnw petawn i'n rhoi'r gorau i'm swydd. Fe fyddet ti'n lwcus i fedru fforddio beic ar dy dâl di!'

Ar hynny, dewisodd Dilys droi'i chefn ar y ffrae ac ar ei gŵr cyn iddi ddweud rhai o'r pethau ofnadwy oedd yn atsain yn ei phen. Dyna ddiwedd y ffrae honno, ond nid dyna ddiwedd y ddadl. Parhaodd Eurwyn i swnian a swnian, fel dŵr yn diferu ar garreg.

Nid eu bod yn ffraeo'n barhaus. At ei gilydd, roedd eu priodas yn un ddedwydd, dim ond iddynt osgoi trafod y mater a oedd yn asgwrn cynnen rhyngddynt. Ond hyd yn oed pan na fu gair ar y mater am wythnosau, eisteddai'r ddadl anorffenedig fel cawr anweledig yn eu cartref ddydd a nos.

Dilys ildiodd yn y diwedd trwy ddweud, ar ôl dwy flynedd, y byddai hi'n fodlon rhoi'r gorau i'w swydd petai hi'n cael baban. Esboniodd wrth Eurwyn y byddai magu plentyn yn ei harbed rhag gorfod ei bwrw'i hun yn gyfan gwbl i'r rhaglen o weithgareddau bugeiliol y byddai ef yn ei llunio ar ei chyfer. Ond fe fyddai hi gartref ac fe fyddai'r car— un newydd sbon eto erbyn hynny—ar gael o hyd. Bodlonodd Eurwyn ar hynny.

Roedd ef am iddi ymddiswyddo'n syth bin, gan hanner amau y byddai hi'n tynnu'n ôl o'r fargen. Ond mynnodd Dilys aros mewn gwaith hyd nes y gallai dderbyn tâl mamolaeth. Byddai'r arian ychwanegol, meddai, yn gymorth i dalu am ailwneud y gegin a phrynu'r holl offer y byddai ei angen ar gyfer baban. Cytunodd Eurwyn i'r cynllun, gan obeithio mai dim ond rhyw flwyddyn y byddai'n rhaid iddo aros cyn iddo gael popeth a ddymunai.

Hanner-gobeithiai Dilys, o ran sbeit efallai, y byddai'n cymryd cryn amser iddi feichiogi, ond nid felly y bu. Beichiogodd mor sydyn nes ei bod bron yn falch pan erthylodd ei chorff y darpar-faban cyntaf hwnnw, lai na mis ar ôl iddi ganfod ei bod yn disgwyl. Wedi'r cyfan, doedd y gegin ddim yn hanner parod.

Darllenasai Dilys mewn cylchgrawn fod cyfran uchel iawn o ferched yn colli'u babi cyntaf yn ystod misoedd cynnar eu beichiogrwydd—yn ôl ei mam, roedd colli'r baban cyntaf hwnnw cyn iddo lawn ddatblygu, fel petai'n clirio'r groth allan, ac yn paratoi'r ffordd ar gyfer baban iach. Heb lawn gredu'r theori honno, fe dderbyniodd Dilys fod yr hyn a ddigwyddodd wedi digwydd am y gorau.

Ond doedd hi ddim mor siŵr ar ôl colli'r ail faban, ac wedi iddi feichiogi bedair gwaith a cholli'r baban bob tro, daeth y peth yn obsesiwn ganddi. O fod yn weddol awyddus i gael teulu rywbryd yn y dyfodol, daeth yn benderfynol o esgor ar faban petai hi'n marw yn yr ymdrech.

Cafodd well hwyl arni'r bumed waith. Am y tro cyntaf, dechreuodd edrych yn feichiog a chafodd y profiad anesboniadwy hwnnw o deimlo'r baban yn symud o'i mewn. Pan ddechreuodd hi deimlo'r poenau yn ei hochr ni chymerodd fawr o sylw ohonynt, gan gredu'u bod yn rhan o'r profiad o greu creadur newydd. Ond aeth y poenau'n waeth ac yn waeth gan beri iddi lewygu hyd yn oed—unwaith o flaen dosbarth o blant ac unwaith pan oedd hi'n gyrru'r car. Trwy ryw wyrth, llwyddodd i droi'r car i'r gwrych cyn i bopeth fynd yn ddu.

Unwaith yn rhagor cafodd Dilys ei hun yn Ysbyty Dewi Sant ym Mangor, ond y tro hwn ar ward y mamau beichiog yn hytrach na'r ward lle rhoddwyd y rhai a gollodd eu babanod a'u gobaith. Yno i gael profion a gorffwys yr oedd hi, medden nhw, ac Eurwyn yn gyrru draw yn y car i'w gweld bob nos. Roedd o wrth ei fodd yn eistedd wrth ochr y gwely yn ei holi hi am hynt a helynt pawb ar y ward. Ymhen wythnos fe wyddai ef hanes pob un o'r merched eraill, a'u teuluoedd hefyd.

Doedd yr un ohonynt yn barod am y ddedfryd. Nid yng nghroth Dilys yr oedd y baban a deimlasai hi'n symud cymaint, ond a oedd wedi tawelu i raddau helaeth erbyn hyn. Ni fyddai modd i'w chroth hi fyth gario plentyn. Beichiogrwydd abnormal oedd hwn, wedi datblygu oddi allan i'r groth, rhyw *secondary abdominal pregnancy*, i ddyfynnu rhan o'r hyn a oedd gan y meddyg i'w ddweud. Nid oedd modd camddeall byrdwn ei eiriau. Roedd y sefyllfa'n un beryglus nid yn unig i'r baban ond hefyd i Dilys ei hun.

Rhoddodd y meddyg ddewis iddynt. Gallent naill ai erthylu'n syth neu oedi. Go brin y byddai'r baban yn byw beth bynnag, a gallai fod nam arno oherwydd cyfyngder y fan lle'r oedd yn datblygu. Ni fyddai genedigaeth naturiol byth yn bosibl, ond o'i adael, yr oedd rhithyn o siawns y byddai'n tyfu'n ddigon mawr i gael ei eni drwy lawdriniaeth.

Am y tro cyntaf er dyddiau canlyn, closiodd Eurwyn a Dilys at ei gilydd yn feddyliol ac yn emos-iynol, er nad yn gorfforol. Eu penderfyniad unfrydol oedd gadael i'r baban barhau i dyfu a rhoi

45

eu ffydd yn Nuw'r Creawdwr i ddod â'r creadur bychan i'r lan.

Arhosodd Dilys yn yr ysbyty a pharhaodd Eurwyn i ddod draw bob nos. Fuon nhw erioed mor agos, mor gariadus ym mhob ffordd wrth ddisgwyl efo'i gilydd am y mab neu'r ferch, yn gweddïo efo'i gilydd am ddiwedd hapus i'r disgwyl, yn canol-bwyntio'u holl feddyliau a'u holl obeithion ar y swp bach yna o gnawd yng nghrombil Dilys.

Yna, pan fu farw'r swp bach hwnnw, bu raid ei rwygo allan ohoni, ac o ganlyniad fe rwygwyd y ddealltwriaeth newydd fu rhyngddynt yn ulw hefyd. Roedd Eurwyn wrth ochr ei gwely pan ddeffrôdd Dilys wedi dyddiau o hofran rhwng y byw a'r meirw. Ond roedd o'n ddieithryn. A phan ddechreuodd esbonio bron yn syth ei fod wedi rhoi caniatâd i'r meddygon dorri ymaith yr holl beirianwaith benywaidd a fuasai wedi'i galluogi i feichiogi eto, trodd oddi wrtho fel llofrudd y plant na fyddai mwyach. A throdd oddi wrth ei Dduw ef hefyd, y Duw a drodd ei gefn arni hi a'i phlant, y Duw a adawodd i'w babi hi farw.

Petai Eurwyn ddim ond wedi disgwyl iddi ddod dros ei siom a chryfhau'n gorfforol, yn feddyliol ac yn eneidiol cyn dechrau esbonio ei resymau dros yr hyn a wnaeth, ac egluro pam mai dyna oedd y peth gorau iddi hi. Petai o ddim ond wedi peidio mynnu rhesymu efo hi pan oedd hi'n teimlo'n hollol afresymol . . . Ond fedrai Eurwyn fyth wrthod y cyfle i resymu efo neb. Agorodd gagendor rhyngddynt a oedd yn dal i agor a lledu hyd heddiw er i Dilys hen beidio â rhoi'r bai arno ef am yr hyn a ddigwyddodd.

Sylweddolodd Dilys ei bod yn beichio wylo yno wrth lannau'r Fenai ar ganol bore braf o wanwyn.

46

Yr oedd hi hefyd, heb yn wybod iddi, yn byseddu'i sgert ar y fan lle'r oedd y graith honno a oedd bellach yn gymaint rhan ohoni. Roedd pawb a oedd yn ei hadnabod wedi hen arfer â gweld ei bysedd yn symud yn ôl a blaen ar hyd llinell y graith; roedd y peth yn nodweddiadol ohoni erbyn hyn.

Edrychodd o'i chwmpas gan ofni fod rhywun wedi'i gweld yn crio. Ond doedd yna ddim tystion ar wahân i'r gwylanod. Yr oedd yr hen gwpl efo'r ci wedi mynd ers tro. Sychodd ei dagrau â chefn ei llaw, ac yfodd y jin a oedd ar ôl yn y botel lemonêd yn un dracht hir.

Er mawr syndod iddi roedd hi'n hanner awr wedi un ar ddeg. Fe fyddai Martha Parry'n ei damio hi i'r cymylau. Ond erbyn i Dilys, yn drewi o bersawr, ac yn gwisgo lipstic ffres, gyrraedd y fan lle y gadawodd hi Martha, doedd yr hen wraig ddim wedi dychwelyd o'r ystafell driniaeth, a doedd dim amdani ond dioddef hanner awr arall o sgwrsio unochrog efo mab yr hen wraig o Aberdaron.

PENNOD 4

Bore Mercher

Un o'r boreau da oedd bore dydd Mercher. Deffrôdd Dilys yn teimlo'n llawn ynni, ddim digon i beri iddi gynnig gweddi o ddiolch fel y gwnâi rai blynydd-oedd yn ôl, efallai, ond digon iddi fentro mymryn o gân wrth olchi'r llestri brecwast a pharatoi tarten afalau ar gyfer y popty.

Erbyn amser paned am hanner awr wedi deg yr oedd y tŷ'n sgleinio a'r ffenestri ar agor i groesawu'r awel dyner, hyfryd. Daeth Eurwyn o'r stydi lle bu'n ceisio cyfansoddi'i erthygl fisol ar gyfer y papur bro a gwenodd wrth weld ei wraig yn edrych yn debycach i'r hen Dilys nag y gwnaethai ers tro. Doedd o ddim mor falch pan ddysgodd o'r rheswm dros ei gweddnewidiad.

'Dwi wedi rhoi pastai gig a tharten afalau yn y popty ar gyfer amser cinio,' dechreuodd Dilys yr eiliad y cyffyrddodd pen-ôl Eurwyn â'i gadair. 'Dim ond taro'r popty ymlaen ar rif saith am hanner awr sydd eisiau iti wneud.'

'Dwyt ti erioed allan eto heddiw?' oedd ei ymateb, heb feddwl. 'Fuest ti ddim gartref i wneud cinio ddoe nac echdoe chwaith.'

Corddai tymer Dilys o'i mewn. Cawsai Eurwyn ginio iawn ddydd Llun, dipyn yn hwyr mae'n wir, ond popeth y gallai ei ddisgwyl. A ddoe roedd hi wedi aros ar ei ffordd adref o Fangor i brynu pysgod ffres a fyddai'n coginio'n sydyn, rhag ofn iddi gael pryd o dafod am roi'r bwyd ar y bwrdd yn hwyr eto. Ysai i'w hamddiffyn ei hun, ond nid oedd am adael i

Eurwyn amharu ar ei hwyliau da. Gorfododd ei hun i wenu.

'Os wyt ti'n cofio, dwi'n cyfarfod Tesni amser cinio heddiw—mae hi'n hanner tymor arni hi.'

'Fyddi di'n hir?' gofynnodd Eurwyn, a deimlai fod Tesni Siôn yn ddylanwad drwg ar ei wraig.

'Wn i ddim. Pam?'

'Wel, mae gen i gyfarfod misol yn y Llan am hanner awr wedi dau. Fydd y car yn ôl yma erbyn hynny, neu fyddai'n well imi ffonio Stan i ofyn am bàs?'

'Fe fyddai'n rhaid imi adael lle Tesni'n syth ar ôl bwyd, ac roeddwn i wedi meddwl aros am dipyn o sgwrs. Yli, beth am iti ffonio Stan ac os na fedri gael pàs efo fo, mi ddo i'n ôl yn gynnar.'

'Os ydi hi'n berffaith hawdd iti ddod yn ôl mae'n biti gofyn i Stan fynd allan o'i ffordd.'

'Os ydi Stan yn gwarafun dod llai na dwy filltir allan o'i ffordd i dy nôl di, wnâi hi ddim drwg i ti gerdded i lawr at y Groeslon Las i ddal bws Trefor i'r Llan.'

'Fe fydd gen i'r holl bapurau ar gyfer y cyfarfod,' cwynodd Eurwyn. 'Fi ydi'r ysgrifennydd, cofia.'

Ni ddywedodd Dilys air. Roedd Eurwyn wedi byw efo hi'n ddigon hir i wybod bod ei chyfnodau o ddistawrwydd yn arwydd fod storm ar y ffordd. Aeth i ffonio Stan.

Roedd gan Eurwyn wyneb hawdd iawn i'w ddarllen fel arfer, ond ni allai Dilys ddehongli'r olwg arno pan ddaeth ati i'r gegin wedi'r alwad ffôn honno. Ei neges oedd fod Stan wedi bod ar fin codi'r ffôn i wahodd Dilys ac Eurwyn draw i swper gan fod eu cyfeillion, Idris ac Elinor, yn aros gyda nhw am yr wythnos. Awgrymodd Stan y gallai Eurwyn ac yntau godi Dilys ar eu ffordd yn ôl o'r cyfarfod fel y gallai'r chwe hen ffrind gael digon o amser i sgwrsio a hel atgofion ac ati. Gan na fyddai Dilys gartref, cynigiodd Eurwyn y byddai ef a Stan yn mynd efo'i gilydd ac iddi hithau fynd yn ei hamser ei hun o dŷ Tesni.

Mewn gwirionedd, gobeithiai Eurwyn y byddai Dilys yn canfod esgus dros beidio â dod, gan wybod y byddai'r pump ohonynt yn cael mwy o bleser o'r gwmnïaeth petai Dilys ddim yno. Gwyddai Dilys hynny hefyd. Yn sicr nid oedd hi'n edrych ymlaen at noson o jôcs bach ysgrythurol a chymharu nodiadau am gapeli a blaenoriaid ar ran y dynion, a thrafod plant ac ysgolion ar ran y merched, ond ni allai hi weld ffordd allan ohoni. Ni allai fod yn ddigon iach i dreulio'r prynhawn efo Tes, ac yna'n rhy sâl i gael swper efo'i ffrindiau pennaf hi ac Eurwyn.

Bu Idris, Eurwyn a Stan yn gyfeillion ers eu dyddiau yn y coleg diwinyddol. Bu Siân, gwraig Stan, ac Elinor yn ffrindiau ers dyddiau ysgol. Roedden nhw yn y coleg yr un adeg â Dilys ond nid oedd Dilys yn perthyn i'r un criw â nhw, ac ychydig o gysylltiad fu rhyngddynt nes i Dilys ac Eurwyn ddechrau canlyn.

Byth oddi ar hynny bu'r tri phâr yn agos iawn. Buont i gyd ym mhriodasau ei gilydd, ac yn ymweld â'i gilydd yn gyson, ac er i Idris a'i deulu symud i Geredigion bum mlynedd yn ôl, roedd Stan, Siân a'r plant ac Eurwyn a Dilys wedi treulio pythefnos bob haf yn aros yn eu tŷ mawr, drafftiog a oedd lai na milltir o lan y môr. Ond er eu bod i gyd yn andros o ffeind wrthi bob amser, ni fedrai Dilys fyth fod yn eu cwmni heb deimlo fel rhyw gwcw fawr yn eu plith.

'Mi fydd hi'n braf bod efo'n gilydd eto,' oedd y cwbl fedrai hi feddwl amdano i'w ddweud. A doedd hi ddim llawn mor sionc wrth orffen ei gwaith tŷ ag yr oedd hi'n gynharach yn y bore.

Fodd bynnag, erbyn iddi adael ei char yr oedd Dilys unwaith eto'n edrych ymlaen at ei chinio a'i sgwrs efo Tesni. Mi fyddai'n braf petai hi'n medru rhannu'r un cyfeillgarwch efo Siân ac Elinor ag a rannai efo Tes, ond gwragedd ffrindiau Eurwyn fydden nhw byth, tra oedd Tesni yn gyfaill iddi hi ei hun.

Roedd y ffaith fod ei hen ffrind wedi symud i'r ardal yr haf cynt wedi bod yn fodd i fyw i Dilys. Ni fu ganddi fawr o ddiddordeb mewn parhau ar dir y byw yn ystod y misoedd yn dilyn ei thriniaeth yn yr ysbyty. Gadawodd i Eurwyn ei pherswadio i roi'r gorau i'w swydd gan iddi fod yn absennol am gymaint o'r tymor beth bynnag. Drwy'r weithred honno, torrodd Dilys ei hun i ffwrdd oddi wrth ei chyfeillion ar staff yr ysgol. Yr oedd hi wedi hen golli cysylltiad efo'i ffrindiau eraill i gyd. Dim ond ffrindiau Eurwyn oedd ganddi mwyach.

Drwy gydol y gaeaf hir, blin y llynedd, bu Dilys yn ymddwyn fel petai hi mewn breuddwyd, neu yn hytrach yng nghanol rhyw niwl trwchus a oedd wedi cau'n dynn amdani. Anaml y gadawai hi'r tŷ, er iddi ailddechrau mynychu oedfaon Moreia unwaith yr oedd ei chorff wedi gwella. Prin y gwelodd hi neb i dorri gair efo nhw drwy'r gaeaf heblaw aelodau'r capel ar ddechrau a diwedd oedfa —ac Eurwyn. A phrin oedd y geiriau fu rhyngddynt hwy. Ambell waith fe ffoniai ei mam, ond unwaith

51

yr oedd y cwestiynau arferol wedi'u hateb, doedd fawr ganddynt i'w ddweud wrth ei gilydd ac aeth y sgyrsiau ffôn hynny'n fyrrach ac yn fyrrach. Ofnai Dilys na fedrai hi gynnal sgwrs iawn bellach.

Yna, fel haul yn torri drwy'r niwl, daeth galwad ffôn Tesni. Un wael am ysgrifennu fu hi erioed, ac ar ôl anfon nifer o gardiau Nadolig heb gael ateb yr oedd Dilys wedi dod i'r casgliad fod Tesni wedi symud, felly rhoddodd y gorau i ysgrifennu ati, a'i chyfrif yn un o'r cyfeillion hynny y collodd gysylltiad â nhw.

Ond doedd Tesni ddim wedi symud cartref wedi'r cwbl. Roedd ganddi newyddion da i Dilys, sef ei bod wedi'i hapwyntio'n bennaeth yr adran Gerddoriaeth yn Ysgol Uwchradd y Llan—yr ysgol y bu Dilys yn dysgu ynddi—a'i bod hi'n bwriadu chwilio am dŷ yn yr ardal.

'Fe fyddwn ni'n gydweithwyr rŵan,' meddai.

'Na fyddwn,' atebodd Dilys, yn rhy flinedig i ddechrau esbonio.

'Ydi popeth yn iawn?' gofynnodd Tesni, gan synhwyro iselder Dilys yn syth. 'Mi dries i ffonio pan oeddwn i'n dod i fyny ar gyfer y cyfweliad ond ches i ddim ateb, er imi drio am ddyddiau.'

Cofiodd Dilys y troeon y bu'r ffôn yn canu'n gyson a hithau'n rhy ddiymadferth i'w ateb.

'Allan yn rhywle, mae'n rhaid,' meddai'n ysgafn. 'Fe fuest ti'n anffodus. Dydan ni ddim yn mynd allan rhyw lawer.'

Dywedodd sawl celwydd golau cyffelyb yn ystod gweddill yr alwad ffôn honno, ond y munud y gwelodd Tesni ei hen ffrind yn y cnawd, gwelodd fod rhywbeth difrifol o'i le, a phenderfynodd ei bod am ei helpu. Daeth i aros at Eurwyn a Dilys am yr wythnos hanner-tymor ddiwedd mis Mai er mwyn mynd o gwmpas yr ardal i chwilio am fwthyn neu dŷ bychan i'w brynu. Ceisiodd ddenu Dilys i ddod i edrych ar dai efo hi, ond ni allai ennyn unrhyw ddiddordeb ynddi hi, ac roedd Eurwyn yn amlwg yn gwrthwynebu'r syniad.

Erbyn i Tesni symud i'r ardal i fyw ddechrau mis Awst yr oedd Dilys fel sgerbwd mewn dillad, mor denau oedd ei choesau a'i breichiau ac mor ddyfn oedd y pyllau duon o gwmpas ei llygaid. Mynnodd fod Dilys yn mynd efo hi i Landudno, i Wrecsam, i Gaer ac yna i Lerpwl i chwilio am bethau ar gyfer y bwthyn a brynasai. Ychydig iawn o brynu a wnaethpwyd yn ystod yr ymweliadau hynny, mewn gwirionedd, ond cawsant bedwar cinio hir, hamddenol mewn gwestai moethus, a phedwar swper bywiog mewn tafarnau ar y ffordd adref efo digon o gyfle i hel atgofion am ddyddiau coleg dros botelaid o win.

A phan ddaeth hi'n fis Medi, mynnodd Tesni fod Dilys yn cofrestru efo hithau ar gyfer cwrs blwyddyn o ddosbarthiadau nos i astudio teipio a llaw fer. Teimlai Tesni y byddai'r gallu i deipio'n iawn yn gymorth iddi wrth baratoi nodiadau ar gyfer yr ysgol a dyblygu geiriau caneuon ar gyfer y côr cymysg lleol yr oedd hi ar fin dod yn arweinydd arno. Dywedodd hi wrth Eurwyn y byddai'n syniad da i Dilys ddysgu teipio fel y gallai hi deipio'r llyfr myfyrdodau hwnnw y bu ef yn gwcithio arno ers blynyddoedd. Ni allai wrthwynebu hynny.

Bu'r ddwy ffrind yn mynychu'r dosbarthiadau yng Ngholeg Technegol y Llan bob nos Fercher ers dau dymor bellach, gyda Dilys yn dangos dawn ddiamheuol at y sgiliau a ddysgid ar y cwrs. Ond, a hithau'n wyliau'r Pasg, ni fyddai dosbarth heno, a dyna pam y bu i Tesni wahodd Dilys draw i'r bwthyn am ginio a sgwrs.

Piciodd Dilys i siop ddiodydd yn y Llan i nôl potelaid o win cyn mynd ymlaen i fwthyn Tesni. Ond pan gyrhaeddodd hi, doedd dim bwrdd wedi'i osod nac unrhyw arwydd fod bwyd yn cael ei baratoi—a chan fod llawr isaf y bwthyn wedi cael ei wneud yn un ystafell fawr, efo cegin un pen iddi, byddai'r paratoadau wedi bod yn gwbl amlwg o riniog y drws ffrynt. Yn wir, doedd yna ddim golwg o neb yno er bod y drws ar agor led y pen.

'Rydan ni'n cael cinio yn y Llew Coch yn y Llan,' meddai llais Tesni o rywle. 'Gad y botel ar y bwrdd yn fan'na—mi yfwn ni hi pan ddown ni'n ôl nes ymlaen.'

'Taset ti ddim ond wedi gadael imi wybod hynny ymlaen llaw, mi faswn i wedi medru osgoi ffrae efo Eurwyn,' meddai Dilys yn biwis ddigon.

'Yna mi ddylet ti fod yn ddiolchgar imi,' atebodd Tesni, gan ymddangos ar ben y grisiau'n wên o glust i glust. 'A siarad o'm profiad helaeth fel syl-webydd ar lân briodas, mi ddwedwn i mai dim ond ambell ffrae sy'n torri ar ddiflastod llethol bywyd priodasol.'

Cyrhaeddodd Tesni waelod y grisiau agored a arweiniai o ddrws y llofft i lawr i ganol yr ystafell isaf. Yr oedd gŵn wisgo o gotwm du, tenau wedi'i lapio'n flêr amdani ac roedd yn amlwg nad oedd hi'n gwisgo'r un dilledyn arall o dan honno.

'Mi fydda i'n barod cyn bo hir,' gwenodd Tesni, gan wthio'i llaw drwy'i chyrls gwyllt. 'Dim ond imi gael paned fach i ddod ataf fy hun. Coffi?'

'Ie, plîs.'

Camodd Tesni dros glustog a thwmpath bach o gylchgronau i gyrraedd y gegin. Llanwodd y tecell a rhoddodd lwyaid o goffi bob un mewn dau fŷg yn dwyn sloganau doniol.

'Wel, dywed wrtha i sut wnes i achosi ffrae rhyngot ti ac Eurwyn,' meddai Tesni efo gwên wrth iddi ddisgwyl i'r dŵr ferwi.

'Eurwyn oedd eisiau'r car i fynd i gyfarfod misol yn y Llan pnawn 'ma,' esboniodd Dilys. 'Petawn i'n gwybod ein bod ni'n cael cinio yn y dre, mae'n debyg y buasai hi wedi bod yn bosib inni rannu'r car rywsut, ond mi fynnais i gael y car i ddod yma.'

'Wel, fedrwn i ddim gadael iti wybod gan na wyddwn i fy hun tan tua hanner awr yn ôl,' meddai Tesni, gan gario'r ddau gwpanaid o goffi draw at y soffa lle eisteddai Dilys. 'Roeddwn i wedi meddwl gwneud pryd go arbennig ar ein cyfer ni. Mi brynais i bob math o bethau crand ac roeddwn i am godi i wneud rhywbeth efo nhw heddiw'r bore, ond mi gysgais i'n hwyr. Felly mi godais i'r ffôn a bwcio bwrdd yn y Llew.'

Roedd Tesni, na fyddai fyth yn eistedd yn barchus ar gadair heblaw wrth fwyta, wedi setlo ar fraich y soffa i sipian ei choffi. Edrychodd i lawr ar ei ffrind, a chiliodd ei gwên lydan arferol am ennyd.

'Chawsoch chi ddim ffrae ddrwg am y peth, naddo?'

'Naddo, siŵr,' atebodd Dilys efo chwerthiniad bach nerfus. 'Mi drefnodd Eurwyn i gael pàs i'r cyfarfod efo Stan. Mi roedd Stan yn y coleg efo Eurwyn. Mae'n siŵr dy fod ti'n ei gofio.'

'Nac ydw,' oedd ateb Tesni. 'A does dim awydd arna i i'w gyfarfod o chwaith, pwy bynnag ydi o.

Ydyn nhw'n debygol o alw yn y Llew Coch am beint cyn y cyfarfod?'

'Rargian fawr, nac ydyn. Er bod y capel yn yr un stryd â'r Llew Coch, fyddai waeth iddyn nhw fod ar blaned arall ddim.'

'Gei di geg gan Eurwyn am hel lysh ar ddiwrnod cyfarfod misol?' gofynnodd Tesni.

'Na chaf, siŵr,' chwarddodd Dilys eto, ond yn fwy nerfus y tro hwn. 'Rwyt ti'n gwybod nad ydi Eurwyn yn gwrthwynebu imi gymryd diod o dro i dro; mae o wedi derbyn bellach nad ydi fy naliadau i 'run fath â'i rai fo ar y mater yna. Mae o'n gwybod 'mod i'n mwynhau gwydriad o win neu gwrw, a dydi o ddim yn trio fy rhwystro i mwy nag ydw i'n trio ei orfodi o i yfed.'

'Canmoladwy iawn, wir,' oedd ymateb Tesni. Cododd ar ei thraed. 'Wel, dwi'n mynd i wisgo. Helpa dy hun i ddiod o'r cwpwrdd acw—mae yna fodca yno.'

'Gas gen i fodca,' meddai Dilys, 'mi wyddost ti hynny.'

'Ond fydd fodca ddim yn gadael arogl ar dy wynt di i ypsetio'r Parchedig E . . .'

Stopiodd Tesni'n stond hanner ffordd i fyny'r grisiau a throi i wynebu Dilys.

'Be ydi enw canol Eurwyn, beth bynnag? Dyna'r peth mwyaf cofiadwy am briodasau yn fy marn i, ffeindio allan yr enwau canol echrydus sy gan bobl. Ond fedra i yn fy myw gofio un Eurwyn.'

'Am nad oes ganddo fo'r un, mae'n debyg.'

'Be? Gweinidog heb enw canol? Ond mae'n rhaid iddo fo gael un. Dywed wrtho fo 'mod i'n dweud. Rhaid iddo fo fod yn Barchedig E. W. Roberts neu Barchedig E. J. Roberts, neu'n well fyth yn Barchedig E. W. J. Roberts. Mae hwnnw'n swnio'n ddigon da iddo fo gael ei gynnwys yn y cyhoeddiadau yn y capeli crandiaf.'

'Mi ddeuda i wrtho fo,' chwarddodd Dilys.

Gyda gwên ddireidus, trodd Tesni i mewn i'r llofft ar ben y grisiau, gan gau'r drws yn ddistaw ond yn bendant. Cadarnhawyd y syniad a oedd wedi bod yn crisialu ym meddwl Dilys pan glywodd hi furmur llais dyn rai eiliadau yn ddiweddarach. Wrth gwrs, efallai fod Tesni wedi rhoi'r radio ymlaen.

'Dydi Tes ddim yn newid dim,' meddyliodd Dilys, gan gamu, bron heb yn wybod iddi, tuag at y cwpwrdd diodydd. Arllwysodd jin gweddol waraidd iddi ei hun ac eisteddodd ar y soffa i fwynhau'r profiad o wybod y gallai ei yfed heb deimlo unrhyw euogrwydd nac ofn cael ei dal.

Ond yn rhyfedd iawn, ni châi'r un pleser o yfed yn gyfreithlon, a doedd blas y jin ddim yn creu'r un ias ag arfer. Yr un fu ei hanes ar ôl y Nadolig pan fu hi'n yfed fodca yn lle jin am gyfnod—am yr union reswm y cyfeiriodd Tesni ato. Nid y ffaith nad oedd hi'n hoffi'i flas a ddifethai'r pleser, ond rywsut yr oedd yfed diod ddi-flas, ddi-arogl yn difetha'r gêm, y gêm o herio Eurwyn i'w dal a'i chosbi.

Yn ystod ei dyddiau coleg, gallai Dilys fwynhau yfed er ei fwyn ei hun. A dweud y gwir, rhyw rownd ddiddiwedd o feddwi a sobri fu'r ddwy flynedd gyntaf o ddyddiau coleg Dilys a Tesni. Roedd Tesni wedi arfer diota'n o drwm ar nosweithiau Sadwrn cyn dod i'r coleg. Llwytho cymaint â phosibl o bobl i mewn i Landrover a mynd ar ryw wibdaith o dafarn i dafarn oedd y drefn arferol ar gyfer nosweithiau Sadwrn yn ei hardal hi, fel y darganfu Dilys pan

57

aeth i fwrw Sul efo teulu Tesni ryw dro. Ond cyn mynd i'r coleg doedd gan Dilys bron ddim profiad o yfed heblaw ambell Babycham slei pan fu hi i ffwrdd i gystadlu mewn eisteddfodau cylch, ac wrth gwrs y diwrnod hwnnw y bu'n yfed brandi ceirios yn yr ysgol.

Cofiodd Dilys sut y teimlai ar ei noson gyntaf yn y coleg yn y neuadd breswyl anferth or-gynnes honno. Roedd hi fel cwningen fach ofnus yn ei chawell fach o ystafell, yn gwrando ar sŵn cannoedd o leisiau a dwsinau o barau o draed y tu allan. Ysai am gael bod yn rhan o'r berw ond ni feiddiai gamu o'i chell. Eisteddodd wrth ddrws agored ei hystafell gan gymryd arni ddarllen llyfr, a chan obeithio y deuai rhywun heibio'n hwyr neu'n hwyrach i estyn gwahoddiad iddi ymuno â rhyw griw neu'i gilydd. Ond doedd fawr o obaith i hynny ddigwydd a dweud y gwir, gan fod ei hystafell ym mhen draw pasej hir, a'r ystafell gyferbyn yn wag yn ôl pob golwg.

Ond pwy ddaeth, ymhell wedi i bawb arall gyrraedd, i hawlio'r ystafell wag honno ond Tesni. O fewn hanner munud yr oedd yn amlwg gan ba un o'r ddwy yr oedd y bersonoliaeth gryfaf er gwaethaf eu gwahaniaethau, ac wedi setlo hynny, daeth Dilys a Tesni'n ffrindiau pennaf.

Heb os nac oni bai, Tesni Siôn oedd merch fwyaf boblogaidd eu blwyddyn, a chan ei bod hi'n glyfar iawn hefyd, ni tharfodd ei bywyd cymdeithasol prysur ddim ar ei hastudiaethau academaidd. Dilynai Dilys yn ei sgîl ledled y wlad i ddawnsfeydd rhyng-golegol, cyngherddau roc amrywiol, cyfarfodydd a phrotestiadau Cymdeithas yr Iaith, gêmau rygbi rhyngwladol, cynadleddau Undeb y

Myfyrwyr, a'r eisteddfodau di-ri y byddai Tesni'n cystadlu ynddynt. Doedd yr un o'r gweithgareddau amrywiol hyn yn fawr mwy nag esgus dros yfed mewn tafarnau gwahanol bob penwythnos.

A phan fyddai Tesni'n bachu efo rhyw bishyn neu'i gilydd—fel y gwnâi'n ddi-ffael o leiaf unwaith bob tymor—ac yn treulio oriau lawer wedi'i chloi yn ei hystafell efo fo, manteisiai Dilys ar y cyfle i'w chloi ei hun i mewn efo'i llyfrau. Ni allai hi, fel Tesni, gynhyrchu traethawd nodedig o dda mewn awr ar sail un darlleniad brysiog o'i nodiadau ar ôl dod adref o'r dafarn.

Yn y modd hwnnw yr aeth dwy flynedd ddifyrraf bywyd Dilys heibio. Nid na chafodd ambell brofiad cofiadwy o'i heiddo ei hun. Enillodd yr ail wobr ar yr ysgrif hanesyddol yn eisteddfod y coleg, cafodd ei hethol yn ysgrifennydd y Gymdeithas Gymraeg, yn bennaf am fod ganddi ysgrifen daclus—a chafodd garwriaeth fer ond hynod o dyner un gwanwyn efo myfyriwr mathemateg o Fanceinion oedd yn ceisio dysgu Cymraeg. Ond yn sgîl Tesni y cafodd ei phrofiadau difyrraf.

Yn ei chwmni hi, daeth Dilys i adnabod mwy o bobl o bob math nag y gallai fyth eu cyfrif, ac os oedd pawb ohonynt yn ei hadnabod hi fel 'ffrind Tesni Siôn' doedd fawr o ots ganddi am hynny. Nid yn unig yr oedd ar delerau cyfeillgarwch efo myfyrwyr mwyaf dawnus ei chenhedlaeth ym mhob coleg yng Nghymru, ond daeth i adnabod nifer helaeth o gantorion pop ac actorion poblogaidd y cyfnod hefyd.

Yn ogystal â hynny, daeth i adnabod cyfran helaeth o dafarnau Cymru, yn enwedig y rheiny lle'r oedd cyfeillion agosaf y tafarnwr—a oedd, wrth reswm, yn cynnwys Tesni—yn cael aros i yfed tan oriau mân y bore. A threuliodd aml i noson arbennig o fywiog mewn ystafelloedd amrywiol efo gwŷr ifainc a oedd yn gyfeillion i bwy bynnag yr oedd Tesni am ei fachu ar y pryd. Wedi cael cariad bob un, byddai'r pedwarawd yn mynd i bob man efo'i gilydd am benwythnos neu efallai am wythnos neu ddwy, ac yna fe fyddai ffrind Dilys yn diflannu gan ei gadael i ddychwelyd at ei thraethodau a disgwyl i garwriaeth Tesni chwythu'i blwc. Felly y bu nes i Dilys ddechrau canlyn efo Eurwyn.

Yr eironi oedd mai Tesni welodd o gyntaf. Hi dynnodd sylw Dilys ato trwy ofyn beth ddiawl oedd pishyn fel hwn'na'n ei wneud yn eistedd efo rhyw growd o'r pethau criw Duw yna. Trodd Dilys i edrych ar y rhyfeddod hwn a chafodd hyfrydwch ei wyneb golygus, glân a'i wallt euraid y fath effaith arni fel na fedrai beidio â syllu arno. Cofiodd iddi ddarllen yn rhywle fod llawer o ferched wedi caêl eu denu'n rhywiol at Howel Harris a thrwy hynny wedi mynd i wrando arno'n pregethu a chael eu troi at Grist. Yn yr un modd syrthiodd Dilys mewn cariad â'r negesydd yn gyntaf, ac yna peth naturiol ddigon oedd syrthio mewn cariad efo'i neges.

Ychydig o gyfle gafodd Dilys i siarad efo Eurwyn y noson gyntaf honno. Defnyddiodd Tesni'r holl driciau a feddai i'w ddenu ond er i Eurwyn fod yn boenus o gyfeillgar a gwenu llawer arni, daeth yn amlwg yn fuan ei fod yn gweld mwy i'w edmygu yn ffrind swil Tesni nag yn Tesni ei hun. Ar ôl tipyn, peidiodd Tesni â chymryd sylw ohono. Testun sbort mawr iddi oedd darganfod yn gyntaf fod Dilys ac Eurwyn yn canlyn ac wedyn fod Dilys wedi mynd efo Eurwyn i gyfarfodydd gweddi a nosweithiau o fyfyrdod. Ac yr oedd yn anferth o jôc ganddi ddarganfod wythnosau ar ôl hynny nad oedd Dilys ac Eurwyn erioed wedi cysgu efo'i gilydd.

Daeth Tesni i arfer efo Eurwyn o gwmpas y lle, ond tueddai i'w drin fel bachgen ysgol ac ni allai Dilys lai na sylwi na fyddai hi byth yn aros yn y cwmni fwy na phum munud wedi i Eurwyn ymuno ag ef. Yna, tua chwe mis cyn diwedd eu cwrs coleg, cyfarfu Tesni â Gerwyn Rowland mewn rhyw barti Nos Galan go wyllt yng Nghaerdydd. Ar ôl hynny, gwelai Dilys lai a llai ohoni, yn bennaf oherwydd y dyfeisgarwch yr oedd ei angen arni i gynnal carwriaeth ar y slei efo dyn a oedd nid yn unig yn briod efo pedwar o blant, ond a oedd hefyd yn adnabyddus i bron bob copa walltog yng Nghymru trwy gyfrwng ei raglenni teledu wythnosol yn Gymraeg ac yn Saesneg.

Ar ddiwedd y flwyddyn, dewisodd Dilys aros ymlaen yn y coleg i ddilyn cwrs gradd ond dewisodd Tesni fynd i Lundain i astudio Cerddoriaeth yn y Coleg Brenhinol—penderfyniad a wnaethpwyd ychydig ddyddiau cyn i'r papurau dyddiol gario'r stori fod Gerwyn Rowland, y diddanwr poblogaidd o Wlad y Gân, wedi arwyddo cytundeb i wneud pum cyfres o raglenni i'r BBC yn Llundain. Ni olygai hyn, pwysleisiodd y newyddiadurwyr, fod Gerwyn am droi ei gefn ar Gymru; yng Nghymru roedd ei gartref, byddai ei blant yn dal i dderbyn addysg Gymraeg. Ond byddai seren ddisgleiriaf adloniant Cymraeg yn aros mewn fflat yn Llundain yn ystod wythnosau recordio, gan fynd adref at ei deulu yng Nghaerdydd i fwrw'r Sul.

Deuai Tesni'n ôl i Gymru i aros ambell benwythnos efo Dilys, a oedd bellach wedi symud allan o'r neuadd breswyl i rannu fflat efo dwy ferch a gyfarfu yn y cylch gweddi yr âi iddo'n wythnosol efo Eurwyn. Ond yr oedd bwlch wedi agor rhyngddynt. Yn un peth, yr oedd Dilys yn fwrlwm o ffydd ffres, newydd dderbyn yr Ysbryd Glân i'w bywyd ac yn trafod efo Eurwyn y posibilrwydd o gael ei bedyddio'n gyhoeddus fel mynegiant corfforol o'i thröedigaeth ysbrydol. Pethau'r ysbryd a lanwai ei meddwl a'i sgwrs, ac nid oedd ganddi hi a Tesni lawer yn gyffredin bellach. Yn wir, yr oedd gweld Tesni a chlywed chwerwedd ei chyfeiriadau at ei chyd-ddyn yn gyffredinol a'r atgasedd creulon a fynegai'n fynych tuag at wraig Gerwyn, yn gwneud Dilys yn fwyfwy ymwybodol o swm ei phechodau ei hun yn ystod y blynyddoedd y bu'n dilyn Tesni. Roedden nhw wedi ymroi yn llwyr i oferedd, wedi anwybyddu popeth ond pleser y foment.

Teimlai Dilys faich ei phechodau niferus yn pwyso'n drwm arni ac roedd arni gywilydd mawr, yn enwedig ynghylch y llanciau hynny y cysgasai efo nhw er nad oedd prin yn eu hadnabod. Daethai'n fwyfwy sicr mai dim ond trochi'n llwyr yn nŵr y bedydd a allai lanhau ymaith laid ei phechod. Yr oedd y Bedyddwyr lleol bob amser yn fodlon darparu bedydd ar gyfer Cristionogion newydd a deimlai'r angen i brofi'r trochiad er nad oeddent eu hunain yn Fedyddwyr, ac yr oedd Dilys yn awyddus i fynd yn ei blaen efo'r peth. Yn wir, yr oedd popeth wedi'i drefnu ond y dyddiad.

Ond ni theimlai Eurwyn y gallai ef ei chefnogi. Iddo ef, doedd bedydd yn ddim mwy na symbol o faddeuant ac yn un hollol ddibwrpas yn achos Dilys a gawsai ei bedyddio'n faban yn yr eglwys. Ni allai Dilys ei ddarbwyllo, ac nid oedd hi erioed wedi medru cyfaddef maint ei phechod wrtho, rhag ofn iddi ei golli. Fe wyddai ef nad oedd hi'n wyryf, ond ni wyddai am y fintai o ddynion ifainc a fu'n ei hadnabod (yn yr ystyr Feiblaidd). Ofnai na fyddai maddeuant Eurwyn mor gyflawn a phell-gyrhaeddol ag eiddo'r Crist, felly cuddiodd ei phechod oddi wrtho ac ildiodd ar y mater o gael ei bedyddio, fel y gwnâi eto ar faterion eraill yn ystod y blynyddoedd i ddod.

Teimlodd Dilys ryw gryndod dychrynllyd yn treiddio drwyddi. Er iddi syrthio mor bell oddi wrth ras, teimlai mai cabledd ydoedd iddi eistedd yno efo gwydryn o jin yn ei llaw yn meddwl am bethau ysbrydol fel pechod a maddeuant, a hynny pan oedd hi dan yr un to â Tesni a phwy bynnag oedd efo hi yn y llofft. Am y tro cyntaf ers misoedd teimlodd Dilys agosrwydd yr Ysbryd, ond roedd baich ei phechodau'n pwyso mor drwm fel na allai droi ato am gysur fel y gwnâi yn y dyddiau a fu.

A dyna sut y bu i Tesni ddod i lawr y grisiau i weld Dilys yn lluchio gwydraid o jin i lawr y sinc.

'Hei, mi gostiodd hwn'na bres da,' gwaeddodd, yn hanner gwatwar.

'Mae'n ddrwg gen i, Tes,' meddai Dilys. 'Ffansïo diod bach wnes i, ond mi roedd jin ar stumog wag yn rhy gryf i mi.'

Roedd hi'n dal yn ddigon gonest i fedru cochi wrth ddweud ffasiwn gelwydd. Gobeithiai y byddai Tesni'n credu iddi gochi oherwydd iddi gael ei dal yn gwastraffu'r ddiod. 'Mi bryna i ddiod ddwbl iti yn y Llew Coch yn ei le.'

'Mi gofia i'r noson ddaru ti a mi yfed potel gyfan o jin rhyngon ni yn Aberystwyth,' chwarddodd Tesni.

'A finnau'n deffro yn y bath yn un o neuaddau'r dynion heb wybod yn y byd sut gyrhaeddais i yno,' cofiodd Dilys, heb chwerthin llawn cymaint â'i ffrind dros yr atgof.

'A rŵan mae mymryn o ddiod gadarn yn dy wneud yn sâl. Dwyt ti ddim hanner yr hogan oeddet ti, Dilys fach.'

PENNOD 5

Nos Iau

Yfodd Dilys y diferyn olaf o'i the, gosododd ei chwpan yn ôl ar y soser a throdd i edrych ar Eurwyn. Daliai ef i gnoi'n bwyllog ar ei fara brith gan syllu drwy'r drws gwydr ar y goeden afalau ym mhen draw'r ardd. Gwyddai Dilys nad oedd ganddo flewyn o ddiddordeb yn y goeden afalau, hyd yn oed pan oedd hi'n llwythog o flodau gwyn fel heddiw. Edrychai ar y goeden er mwyn osgoi edrych arni hi.

Bu'n edrych ar bopeth heddiw heblaw ar ei wraig. Amser brecwast fe syllodd mor hir ac mor galed ar y pot marmalêd nes i Dilys ddechrau amau ei fod am geisio ei godi oddi ar y bwrdd drwy nerth tonnau ei ymennydd. Adeg paned bore, chododd o mo'i ben o'r croesair, ac amser cinio fe syllodd gydol y pryd ar y plât mwyaf hwnnw ar ganol silff uchaf y ddresel. Amser paned pnawn, ei esgidiau a fynnodd ei holl sylw, a rŵan dyma fo'n astudio'r goeden afalau.

Anghywir fyddai dweud nad oedd Eurwyn yn siarad efo Dilys. Wedi'r cwbl yr oedd yn weinidog yr Efengyl, yn dilyn ôl traed y Prynwr, a gwyddai fod maddau'n rhan o'i ddyletswydd tuag at ei braidd, gan gynnwys ei gymar. Ers iddynt gyrraedd adref o dŷ Siân a Stan neithiwr, roedd Eurwyn wedi bod yn ofalus i ddweud popeth yr oedd angen iddo ei ddweud wrth Dilys i osgoi bod yn anghwrtais. Byddai gwrthod torri gair efo hi'n blentynnaidd, yn anghristnogol ac yn afresymol. Ar y llaw arall, nid oedd wedi cynnig cychwyn sgwrs chwaith. Atebodd gwestiynau Dilys yn gwrtais ac yn gryno, diolchodd iddi am y bwyd a'r ddiod a osododd hi ger

ei fron, ond gadawodd iddi hi wybod trwy ei ymar-
weddiad distaw, hir-amyneddgar nad oedd wedi
anghofio, nac ychwaith yn bwriadu anghofio, dig-
wyddiadau'r diwrnod cynt.

Yr oedd wedi maddau iddi, wrth gwrs, ond ni
allai anghofio'r cywilydd a deimlasai pan drodd ei
wraig i fyny i giniawa efo'u cyfeillion pennaf yn
feddw gaib ac yn hanner noeth. Anghofiai o byth,
ond fe allai wthio'r atgof i gefn ei feddwl petai Dilys
ddim ond yn ymddiheuro am ymddwyn mewn
modd mor anghydnaws â'i hoedran a'i safle, yn
hytrach nag ystyfnigo a thaeru nad oedd hi wedi
meddwi o gwbl.

Tynnodd ei lygaid oddi ar gyff y goeden afalau ac
edrychodd am ennyd ar ei wraig, a oedd erbyn hyn
yn darllen cylchgrawn fel pe na bai dim yn y byd yn
ei phoeni. Edrychai'n union fel y dylai, wedi'i
gwisgo'n syml ac yn gymen yn ei sgert blaen, ei
blows dwt a'i hesgidiau cyfforddus, a'i hwyneb yn
lân o golur o unrhyw fath. Roedd hi'n anodd credu
mai hon oedd yr un ferch ag a ddaeth adref efo fo
neithiwr.

Edrychodd Dilys i fyny'n sydyn, yn rhy sydyn i
Eurwyn. Pan welodd hi o'n syllu arni, dewisodd
gasglu ei fod bellach yn barod i fod yn ffrindiau eto,
a gwenodd arno.

'Faint o'r gloch ydan ni am fynd heno?' gofyn-
nodd mewn llais tawel, digyffro.

I rywun fel Eurwyn a oedd yn casáu unrhyw
ddrwgdeimlad, roedd hi'n demtasiwn fawr i ateb
yn yr un cywair, fel petai popeth yr un fath ag arfer.
Ond ni allai anghofio'r cam a wnaethai hi â fo, yn ei
ddangos i fyny o flaen ei ffrindiau. Sythodd Eurwyn

yn ei gadair, a phan atebodd ei wraig yr oedd ei lais fel llais barnwr yn traddodi dedfryd.

'Rwyt ti'n dal eisiau mynd, felly.'

'Wel ydw, siŵr.'

'Fe fydd Siân a Stan ac Idris ac Elinor yno heno, cofia. Roeddwn i'n meddwl y byddai'n well gen ti aros gartref na'u hwynebu nhw eto mor fuan ar ôl neithiwr.'

'Pam? Mi ddywedais i wrthyn nhw wrth adael neithiwr y byddwn i'n siŵr o'u gweld nhw heno. Wela i ddim rheswm dros newid fy meddwl.'

'Roeddet ti'n feddw pan ddywedaist ti hyn'na.' Roedd min ar lais Eurwyn fel ar gyllell lladd mochyn. 'Go brin eu bod nhw'n disgwyl iti gadw d'air dan yr amgylchiadau.'

Cymerodd Dilys wynt hir, araf cyn ateb.

'Am y canfed tro, Eurwyn, doeddwn i ddim wedi meddwi. Chefais i ddim ond dau wydraid o win efo cinio.'

'Sut wyt ti'n disgwyl imi gredu hynny ar ôl gweld yr olwg oedd arnat ti a'r ffordd yr oeddet ti'n ymddwyn?'

'Mewn hwyliau da oeddwn i, Eurwyn.' Roedd tymer barod Dilys yn agosáu at yr wyneb. 'Doeddet ti ddim yn adnabod yr arwyddion, mae'n debyg, gan mai ychydig iawn o reswm fydd gen i fel arfer dros fod mewn hwyliau da. Roeddwn i'n mwynhau fy hun ac yn awyddus i ledaenu'r hwyliau da er mwyn i ti a dy ffrindiau gael mwynhau eich hunain hefyd.'

'Ai dyna dy esgus di dros ddweud jôcs gwirion drwy gydol swper?'

'Ie. Roeddwn i wedi chwerthin pan glywais i nhw amser cinio.'

67

'Doedden ni ddim yn medru mwynhau jôcs tŷ tafarn.'

'Roedd dy fethiant di, Eurwyn, yn gwbl amlwg, ond mi roedd y lleill yn chwerthin. Ac mi fues i'n ofalus iawn i ddethol y jôcs glanaf. Mi ddywedwn i fod Siân a Stan ac Idris ac Elinor wedi mwynhau sgwrs ysgafnach am unwaith.'

'Bod yn gwrtais tuag atat ti roedden nhw, Dilys,' meddai Eurwyn, gan ysgwyd ei ben. 'Roedden nhw'n dy gyfrif di'n wrthun yn dy ddiod ond roedden nhw'n gwrtais tuag atat ti allan o barch tuag ataf i—ac allan o biti hefyd.'

'Twt lol!' gwaeddodd Dilys. 'Dwi ddim mor dwp na fedra i wahaniaethu rhwng chwerthin cwrtais allan o biti a chwerthin go iawn. Ac mi roedden nhw'n chwerthin go iawn, yn eu mwynhau eu hunain fel roeddet ti'n medru gwneud ers talwm. Tasen nhw ddim ond yn trio bod yn gwrtais, fasen nhw ddim wedi cynnig eu jôcs eu hunain. Waeth iti wynebu'r ffaith, Eurwyn, roedden ni i gyd wedi mwynhau'n hunain neithiwr gystal ag yr oedd yn bosib i neb fwynhau, a chdi'n eistedd yn ein canol ni efo wyneb fel pen-ôl iâr.'

'Beth oeddet ti'n ei ddisgwyl, a thithau'n eistedd wrth fy ochr i'n edrych fel putain?'

'Be?' cododd llais Dilys yn sgrech.

'Roeddet ti'n edrych fel putain efo'r baw yna ar dy wyneb a . . . a . . . a'r dilledyn yna amdanat.'

'Roeddwn i'n meddwl ei bod hi'n ffrog hardd iawn, a'i bod hi'n gweddu imi. Dyna oedd Tesni'n ei feddwl hefyd, a chyn iti awgrymu dim am Tes, mi ddywedodd Siân ei bod hi'n meddwl ei bod hi'n ffrog ddel ofnadwy.'

'Roeddet ti'n edrych fel putain ac roedd Siân . . .'

'Deuda di'r gair yna eto, Eurwyn,' meddai Dilys mewn llais distaw, bygythiol, 'a wna i ddim aros yma i wrando ar fwy.'

Tawodd Eurwyn. Eisteddodd yn ôl yn ei gadair a gwelodd Dilys arwyddion ei fod am ddechrau syllu ar rywbeth diymadferth unwaith eto. Penderfynodd mai dyma'r cyfle gorau a gâi i ddweud ei ddweud.

'Dwi'n cytuno,' dechreuodd yn bwyllog, 'nad oedd hi'n ffrog arbennig o addas ar gyfer swper anffurfiol yn nhŷ ffrindiau.' Sylweddolodd Dilys ei bod hi'n swnio fel un o'r cystadlaethau hynny mewn cylchgronau merched a cheisiodd newid tôn ei haraith. 'Ond, fel yr esboniais i wrth Siân cyn croesi'r hiniog, roedd fy ffrog arall i'n wlyb ac yn drewi braidd wedi imi golli hufen arni amser cinio. Doedd dim amdani ond prynu ffrog arall.'

Edrychodd Dilys ar Eurwyn ond gwrthododd o edrych arni hi. Eisteddai'n gefnsyth yn ei gadair, heb ymateb nac ymddangos ei fod yn clywed yr un gair. Syllodd Dilys ar ei dwylo'n cydio'n dynn yng nghefn y soffa, a chan ymdrechu i gadw ffrwyn ar ei thymer, aeth yn ei blaen, yr un mor ddistaw, yr un mor bwyllog.

'I ddechrau, roeddwn i am ddod adre i newid. Ac yna awgrymodd Tesni 'mod i'n prynu ffrog arall. Mi ddywedais innau fod gen i ddigon o ffrogiau bob dydd ac mai gwastraff fyddai prynu un arall. Ac yna mi gefais i'r syniad o brynu ffrog a wnâi'r tro i fynd i'r cinio a'r ddawns heno. Mi gerddodd Tes a minnau trwy ddrws siop Madame Marie a dyma rywun yn ein holi a fyddai un ohonom yn fodlon bod yn fodel ar gyfer arddangosfa goluro. Wel, rwyt ti'n adnabod Tesni, cyn imi fedru agor fy ngheg

69

roeddwn i yn y gadair efo lliain rownd fy 'sgwyddau a chap bach blodeuog am fy mhen.'

Ciledrychodd Dilys ar Eurwyn eto ond doedd dim newid ynddo.

'Beth bynnag, fel y gwelaist ti, mi gefais fy ngholuro'n grand ofnadwy ac wedyn mi aethon ni i weld y ffrogiau. Yng ngolau'r siop roedd y ffrog honno'n gweddu'n berffaith i'r colur ac roeddwn i'n sicr mai dyna'r union beth y dylwn ei wisgo heno.'

Mi gafodd ymateb ganddo o'r diwedd.

'Doeddet ti 'rioed yn meddwl dod efo fi heno yn gwisgo—neu yn hytrach yn hanner gwisgo—ffrog fyddai ddim ond yn addas i . . .?'

Cyfarfu'i lygaid glas ef â'i rhai brown hithau. Nid aeth yn ei flaen.

'Oeddwn, roeddwn i am ei gwisgo hi. Mae hi'n ddel, ac yn addas ar gyfer cinio gyda'r nos, heb fod yn anweddus o isel yn y gwddf. Roedd gen i ffrog debyg iawn iddi hi ers talwm, os cofia i'n iawn, a doeddet ti ddim yn gweld unrhyw beth o'i le ar honno bryd hynny.'

'Hogan ifanc oeddet ti'r adeg honno. Yn y coleg. Rŵan . . .'

'O, mi wn i beth ydw i rŵan! Rydw i'n wraig i weinidog ac mae disgwyl imi fod yn barchus uwch-law popeth arall. Rhaid imi wisgo'n barchus, ym-ddwyn yn barchus, gwenu'n barchus, a gwrando'n barchus ar bob rwdlyn yn malu awyr. Prin ddeg ar hugain oed ydw i, Eurwyn; dwi ddim yn ddigon hen i fod yn barchus. Os wyt ti eisiau ymddwyn fel hen ddyn o flaen dy amser, paid â disgwyl imi fy nghladdu fy hun efo ti yn y twll lle yma am weddill fy oes.'

Stopiodd bwrlwm llais Dilys yn sydyn ac aeth yr ystafell yn boenus o ddistaw. Roedd hi wedi'i dychryn o'i chlywed ei hun yn sgrechian, ac fe'i dychrynwyd hefyd gan y pethau ofnadwy a oedd yn chwyrlïo yn ei meddwl—pethau hyll yr oedd hi wedi bod ar fin eu dweud wrth Eurwyn. Doedd hi ddim wedi meddwl codi'i llais o gwbl, dim ond trio'i argyhoeddi nad oedd hi wedi meddwi ddoe. Roedd yn gas ganddi gael ei chyhuddo ar gam, ond sut y gallai hi esbonio'n rhesymol wrth ŵr na wyddai ddim am ei phroblem yfed, nad oedd dau wydraid o win gwyn efo'i chinio yn ddim byd i ddynes oedd wedi hen arfer ag yfed o leiaf chwarter potel o jin bob dydd? Fel un nad oedd erioed wedi blasu diod feddwol wyddai Eurwyn ddim faint o ddiod y gallai dyn ei yfed heb feddwi. Iddo ef roedd cyffwrdd â diod feddwol yn arwain at feddwi, a dyna'r cwbl.

Agorodd Eurwyn ei geg i siarad, ac oedodd felly am ennyd cyn i air ddod o'i ben.

'Roeddwn i wedi meddwl dy fod ti gant y cant y tu ôl imi yn fy ngwaith i yma ym Mhontheulyn,' meddai o'r diwedd, mewn llais nad oedd yn union yr un fath â'i lais pulpud. 'Roeddwn i wedi meddwl dy fod ti'n mwynhau'r gymdeithas yma ac yn mwynhau dy ran fel aelod pwysig o'r gymdeithas honno. Efallai 'mod i'n anghywir ond roeddwn i wedi meddwl . . .'

Torrodd Dilys ar ei draws yn ddiamynedd.

'Dy broblem di, Eurwyn, ydi dy fod ti'n meddwl pethau heb sylwi ar yr amgylchiadau. Rwyt ti'n mwynhau dy waith, yn mwynhau'r bobl, ac yn mwynhau bod yn bwysig yn y twll yma, ac rwyt ti'n cymryd yn ganiataol mai felly dwi'n teimlo hefyd. Pa sail sydd yna i dy theori di pan . . .'

Canodd cloch y ffôn. Safodd y ddau yno'n wynebu'i gilydd am rai eiliadau, ac yna camodd Eurwyn yn bwrpasol at y teclyn a chodi'r derbynnydd. 'Helo . . . Pontheulyn 793 . . . Ia, Eurwyn Roberts sydd yma . . . O, helô Mr Williams . . . ydw, siŵr, dwi'n eich cofio chi'n iawn . . . Ydw . . . Ia . . .'

Trodd Dilys ei chefn arno a chamodd o'r ystafell. Dringodd y grisiau'n araf, gan wrando, er ei gwaethaf, ar lais Eurwyn yn trafod, yn gwbl bwyllog fel arfer, ryw fanylion pitw am gyfarfod pregethu'r hydref efo rhyw ddieithryn. Tybed a fuasai ei llais hithau'n swnio mor ddidaro petasai hi wedi codi'r ffôn? Tybed a oedd Eurwyn, er mor normal oedd ei lais, yn crynu drwyddo fel yr oedd hithau, yn dilyn y pethau a ddywedwyd a'r atgasedd noeth a fu'n bresennol fel trydan yn yr ystafell fyw?

Cymaint oedd cryndod Dilys nes iddi gau drws y llofft a mynd heb oedi i nôl y bag-llaw llwyd o'i guddfan yn y wardrob. Drachtiodd yn ddyfn o'r botel lemonêd. Eurwyn neu beidio, roedd yn rhaid iddi gael llymaid. Wedi'r cwbl, ar ôl yr hyn a fu rhyngddynt yn ystod yr hanner awr diwethaf, allai Eurwyn na neb arall synnu ati'n ei chau ei hun yn ei llofft am rai munudau i ddod ati'i hun. Yn wir, petai yna glo ar ddrws yr ystafell, fe fyddai Dilys wedi cael pleser o'r mwyaf o droi'r goriad ynddo.

Parhaodd i sipian jin yn hamddenol gan eistedd wrth draed y gwely, yn rhyw hanner gobeithio y deuai Eurwyn ati a'i dal yn slochian. Waeth iddynt gael y cwbl allan rŵan a mynegi pob cyhuddiad, agor pob briw a chael pob ffrae drosodd.

Ond bum munud yn ddiweddarach, erbyn i Eurwyn ddechrau sôn am oblygiadau cyfraith Moses ar gyfer ieuenctid heddiw, roedd Dilys wedi ailystyried. Rhoddodd y botel yn y bag a'r bag yn y wardrob ac aeth drwy'r rigmarôl arferol o chwistrellu persawr ar ei gwddf a glanhau'i cheg efo'r hylif blas mintys a gadwai at y pwrpas. Eisteddodd ar y gwely wedyn, gan ddisgwyl bob munud glywed camau Eurwyn ar y grisiau fel y gallent roi terfyn ar y ffrae, a chychwyn yn bâr unedig unwaith eto am y Llan i ginio blynyddol y Gymdeithas Hanes leol. Ond dal i siarad a dal i ath-ronyddu a wnâi Eurwyn, nes i Dilys ddechrau gwylltio o'r newydd. Sut y gallai o baldaruo ymlaen ac ymlaen fel hyn, tra'i bod hi yn y llofft a'i chalon a'i nerfau ar dorri a'u priodas yn y fantol? Onid oedd ganddo owns o deimlad ar ôl?

Erbyn iddo ddirwyn ei sgwrs i ben a mynd i chwilio am ei wraig, roedd hi'n gorweddian ar erchwyn bellaf y gwely a'i chefn ato, yn powlio crio mewn modd oedd braidd yn or-ddramatig yn ei dyb ef. Pan glywodd hi'r drws yn agor, trodd ato i ymosod arno am ei ddifaterwch ond ni allai ddim ond parhau i feichio wylo. Fedrai hi ddweud dim, ac fe griodd yn swnllyd ac yn hyll, nes bod ei hwyneb yn goch ac yn ddi-ffurf a'i gwallt yn glynu fel gwe wrth ei bochau gwlyb.

Eisteddodd Eurwyn yn ei hymyl yn ofalus, a rhoddodd ei law yn dyner ond yn gadarn ar ei hys-gwydd, fel petai o'n mynd i orchymyn i ysbryd dieflig ymadael â hi ar unwaith.

'Tyrd, rŵan, Dil,' meddai'n addfwyn ddigon, 'paid â chynhyrfu dy hun fel hyn neu mi fyddi'n sâl eto.'

Dim ateb. Gafaelodd yn ysgwyddau Dilys a'i chodi bron ar ei heistedd ac yna gwasgodd hi yn erbyn ei frest i'w chysuro, gan esmwytho cefn ei phen â chledr ei law.

'Doeddwn i ddim yn meddwl . . .' mwmiodd Dilys i mewn i grys Eurwyn.

'Nac oeddet, siŵr, 'y nghariad i,' atebodd yntau, fel tad yn cysuro plentyn ifanc. 'Mi ddeudon ni'n dau bethau y byddai'n well i ni eu hanghofio nhw. Mae'n ddrwg gen innau 'mod i wedi . . . wel, wedi bod mor galed arnat ti. Wnei di faddau imi?'

Daliodd Dilys led braich oddi wrtho, gan sychu'r dagrau o'i bochau a gwthio'r gwallt o'i llygaid.

'Fi ddylai ofyn am faddeuant gen ti . . .' meddai Dilys, ond cafodd ei gwasgu'n ôl yn erbyn ei grys cyn iddi allu dweud gair ymhellach.

'Mae yna fai ar y ddau ohonom,' meddai Eurwyn, 'ond rydan ni am roi'r cwbl y tu cefn inni a mynd allan i fwynhau'n hunain. Tyrd, rho wên imi.'

I Eurwyn roedd y bennod ar gau. Yn wir, yr oedd eisoes wedi dechrau anghofio'r digwyddiad anffodus, ac roedd am i Dilys ymddwyn yn ei modd arferol unwaith yn rhagor. Daliodd hi led braich oddi wrtho eto a gwenodd arni. Edrychodd Dilys arno trwy ei dagrau, a gwnaeth ei gorau glas i ymlonyddu ac i beidio â chrio ond nid peth hawdd oedd stopio mor ddisymwth. Wrth weld gwên lydan, wresog Eurwyn, bron na theimlai fel yr arferai deimlo yn agos at ddeng mlynedd yn ôl—yn ddiogel yn ei freichiau, yn fodlon gwneud rhyw-beth dim ond iddo wenu arni fel yna, ac yn rhyfeddu fod hogyn mor arbennig o olygus â fo yn cyboli efo peth fach ddi-nod fel hi.

Llaciodd Eurwyn ei afael ar ei hysgwyddau, a sychodd y deigryn olaf oddi ar ei boch. Edrychodd i fyw ei llygaid, gan barhau i wenu'n dirion, a gwenodd Dilys yn ôl.

'Dyna welliant,' meddai ef wedyn, a phlygodd ei ben i gusanu'r man lle bu'r deigryn. Cusan fach ysgafn oedd hi, megis yr un nesaf a roddodd ar ei thalcen. Ond yna, fe blannodd hithau gusan ar ei wefusau ef, cusan gadarnach o lawer na rhai Eurwyn, a theimlodd ferw ei chwant ei hun yn codi o'i mewn.

Gwyddai Dilys, wrth i Eurwyn ymateb i'w chusan a chau'i freichiau'n dynn amdani, fod yr un chwant yn egino ynddo yntau. Roedd concwest o fewn ei chyrraedd. Plethodd ei breichiau am ei wddf a throdd yn ei freichiau i'w wynebu'n llawn, fel bod ei bronnau'n gwasgu yn erbyn ei frest. Gwelodd ei chyfle ac aeth ati i gusanu Eurwyn â'i holl gorff a'i holl enaid. Bu ochr rywiol eu perthynas yn bwysicach iddi hi nag iddo ef erioed, ond gwyddai bellach petai hi ddim ond yn dechrau ei gynhyrfu na fyddai e'n medru'i gwrthsefyll.

Felly y bu yn ystod y misoedd cynnar hynny pan oedden nhw gymaint mewn cariad fel eu bod nhw'n embaras i bawb ond iddyn nhw eu hunain. Teimlai Eurwyn y dylent ddal yn ôl rhag y weithred rywiol gyflawn nes iddynt briodi, yn unol â'i ddaliadau moesol. Ond ni hoffai gyfaddef hyd yn oed iddo ef ei hun mor anodd oedd ymwrthod—yr oedd cryfder ei deimladau rhywiol wedi'i ddychryn.

A Dilys, yn ffres o'i thröedigaeth boenus ddiweddar, yn llawn cywilydd ac ymwybyddiaeth o bechod, yn ddiolchgar i Eurwyn am y parch a ddangosai tuag ati, ac yn cytuno mewn theori y dylent aros nes iddynt briodi. Ond ar yr un pryd, roedd Dilys wedi arfer rhoi rhwydd hynt i'w theimladau rhywiol gan fodloni'i chwantau efo llanciau nad oedd ganddi wir ddiddordeb ynddynt. O ganlyniad, roedd yn anodd iddi beidio ag amau weithiau fod Eurwyn yn dal yn ôl am nad oedd ganddo wir ddiddordeb ynddi fel merch.

Darganfu Dilys fod ganddi afael a grym go bwysig dros Eurwyn, ac fe wnaeth hynny iawn am flynyddoedd o fyw yng nghysgod Tesni. Un noson, pan oedd hi'n bwrw Sul yng nghartref Eurwyn, aeth ei rieni allan i gyngerdd a gadael y cwpl ifanc ar eu pennau eu hunain yn closio at ei gilydd ar yr hen soffa o flaen tanllwyth mawr o dân. Gwylio'r teledu'r oedden nhw, a braich Eurwyn yn gorffwys ar hyd cefn y soffa y tu ôl i ysgwyddau Dilys. Yn ystod yr hysbysebion trodd Dilys ato a'i gusanu bron heb feddwl, ond aeth y gusan ymlaen ac ymlaen a chyn pen dim yr oedd y ddau ohonynt yn rhowlio ar y mat o flaen y tân heb eu trowsusau. Rhwng Eurwyn a'i gydwybod oedd hi wedyn; roedd Dilys yn fodlon.

Dyna fu patrwm eu carwriaeth o hynny ymlaen, Dilys byth a hefyd yn temtio Eurwyn—yn gorfforol ond byth ar lafar—ac yntau'n ceisio dal yn ôl ond yn ildio'n ddi-ffael bob tro. Wedi iddynt briodi, ac wedi cyfnod o garu aml sy'n naturiol ar ôl carwriaeth hir a gwahanu gorfodol, synnwyd Eurwyn braidd gan y ffaith nad oedd ei wraig yn dangos unrhyw arwydd ei bod am setlo i batrwm rhywiol mwy rheolaidd a llai nwydwyllt. A phan barhaodd Dilys i bwyso fwyfwy arno am ddiwalliant rhywiol wrth i'r blynyddoedd fynd heibio, dywedodd Eurwyn wrtho'i hun mai ei hawydd i gael plant oedd yn gyfrifol am hynny, a theimlodd fwy na mymryn o ryddhad pan ddaeth y newyddion fod plant bellach yn amhosibl.

Yna, am gyfnod ar ôl ei thriniaeth, gwrthodai Dilys nid yn unig gyfathrach rywiol ond hefyd unrhyw gyffyrddiad corfforol gan Eurwyn. Roedd o'n deall mai oherwydd ei siom a'i salwch yr oedd hynny ac ni adawodd i'w hoerni tuag ato amharu ar eu perthynas. Yn raddol, fe wellodd Dilys, a setlodd pethau i batrwm a weddai i'r dim i syniad Eurwyn o berthynas briodasol, sef cyfyngu unrhyw gyffyrddiad corfforol, heblaw ambell sws fach gyfeillgar, i'r nosweithiau Sadwrn hynny pan oedd y ddau ohonynt yn holliach a heb orflino, a phan na fyddai Dilys yn dioddef o'r misglwyf—rhyw ddwywaith y mis, efallai.

Ac rŵan rydw i wedi ei ddal o, chwarddodd Dilys wrthi'i hun, yn poeni dim wrth deimlo Eurwyn yn gwneud rhyw fath o ymdrech i dynnu i ffwrdd oddi wrthi.

'Wyt ti'n sylweddoli ein bod ni i fod yn y cinio erbyn hanner awr wedi saith?' meddai yn ei chlust, gan hanner codi oddi ar y gwely a thynnu'i grys ar draws ei frest. Ond doedd dim penderfyniad yn ei lais. Gwenodd Dilys wrthi'i hun, ailagorodd ei grys, a chusanodd ei groen clir, lliw hufen yn araf, gan anadlu'n ddyfn a mwmian yn ddistaw. Bron ar unwaith, yr oedd ei freichiau'n ôl amdani, a'i wefusau'n chwilio am ei cheg. Anghofiodd y ddau ohonynt bopeth am amser wrth iddynt suddo i'r pant yng nghanol y gwely, a chyplu fel y gwnaent ers talwm, yn swnllyd a heb adael i hualau confensiwn darfu dim ar eu mwynhad. I Dilys, roedd buddugoliaeth yn felys ar ôl yr holl fisoedd o Eurwyn naill ai'n aros i fyny i sgwennu nes ei fod yn siŵr ei bod hi'n cysgu, neu'n esgus cysgu ei hun yr eiliad y cyffyrddai'i ben â'r gobennydd.

Fe chwarddodd y ddau'n isel pan welsant nad oedd y llenni wedi'u tynnu a hwythau'n gorwedd yn noethlymun ar y garthen las golau gan nad oeddent wedi oedi i fynd i mewn i'r gwely. Allai neb ond ambell frân weld i mewn drwy ffenestr y llofft, ond teimlai Eurwyn yn bowld ofnadwy.

'Wel,' meddai wrth iddo ddechrau oeri, 'os symudwn ni'n o handi, fyddwn ni ddim yn rhy hwyr. Mi fedrwn ni ddweud ein bod ni wedi cael trafferth efo'r car.'

'Dydi gweinidogion yr Efengyl ddim i fod i ddweud ffasiwn gelwydd,' mwmiodd Dilys, gan ddechrau closio ato eto. 'Beth am aros lle'r ydan ni, ac mi gei di ddweud wrth bawb fory ein bod ni heb fynd i'r cinio am fy mod i yn fy ngwely'n dioddef o ryw wendid rhyfedd. Mi fyddai hynny'n hollol wir.'

Chwarddodd Eurwyn a phlannu cusan ar ei thrwyn, ond cododd o'r gwely ac aeth i'r ystafell ymolchi. Clywodd Dilys sŵn yr eillydd trydan a gwyddai eu bod am fynd i'r cinio wedi'r cwbl. Dechreuodd amau a oedd Eurwyn wedi bwriadu aros gartref o gwbl.

Erbyn deng munud i wyth yr oedd y Parchedig a Mrs Eurwyn Roberts yn eistedd wrth fwrdd bach ym mar y gwesty clyd lle cynhelid cinio'r Gymdeithas Hanes leol bob blwyddyn. Roedd Eurwyn yn sipian sudd oren a lemonêd, a Dilys, mewn ffrog flodeuog efo coler uchel, a gwydraid o win gwyn o'i blaen. Gallai pawb weld fod y gweinidog ifanc golygus a'i wraig fach siaradus yn gwpl hapus dros ben, er y byddai unrhyw un â llygaid craff yn siŵr o amau cyflwr ei phledren hi gan ei bod hi'n ymweld â'r lle chwech mor aml. Yn ei chyflwr hapus, gallai Dilys chwerthin wrthi ei hun wrth ddychmygu beth fyddai eu hymateb petaent yn gwybod mai mynd yno i slochian jin yr oedd hi.

PENNOD 6

Bore Gwener

Ni allai Dilys gofio'r tro diwethaf iddi ddeffro fel heddiw a breichiau Eurwyn yn dal i afael amdani, a'i anadl yn gynnes ar ei boch—flynyddoedd yn ôl, mae'n siŵr. Parhaodd y ddau ohonynt i ymddwyn fel cariadon newydd drwy gydol amser brecwast digon hamddenol ac ymlaen tan ganol y bore. Yna dechreuodd Eurwyn gwyno y dylsai fod wedi dechrau ar ei waith cyn hynny, ac ar yr un pryd sylweddolodd Dilys yn sydyn mai dim ond y mymryn lleiaf o jin oedd ar ôl yn y ddwy botel werdd.

Dechreuodd ymbalfalu yn ei meddwl am esgus i fynd i'r dref i nôl potel arall. A hithau'n ddydd Gwener y Groglith, ni fyddai siopau bach y pentrefi ar agor, hyd yn oed petai Dilys am fentro gofyn am botel o jin mewn lle o'r fath, ond fe wyddai fod siopau fel Kwik Save a Tesco yn y Llan ar agor tan hanner dydd o leiaf.

Tra oedd y pethau hyn yn troi yn ei meddwl, yr oedd Eurwyn wrthi'n paratoi i fynd yn y car i ymweld â hen wreigan a fu'n ddifrifol wael ers tro ac a oedd wedi gwaethygu dros nos. Os âi ef cyn i Dilys feddwl am esgus digonol, byddai ar ben arni.

Ystyriodd ddweud fod yn rhaid iddi fynd i'r dref i nôl 'pethau merched' gan fod ei misglwyf wedi dechrau, ond go brin fod Eurwyn mor ddall na allai weld y stoc addas oedd yn y cwpwrdd uwchben y bath. Ac ni allai feddwl am unrhyw eitem o fwyd a oedd mor gwbl angenrheidiol na allai ddisgwyl amdano tan fore trannoeth. O, wel, byddai'n rhaid iddi wneud i'r mymryn jin oedd yn y botel wneud

80

tan fory. Wedi'r cwbl, roedd hi'n bwriadu rhoi'r gorau i'r yfed yma, a thorri i lawr yn raddol oedd y ffordd gallaf i fynd o'i chwmpas hi. Bu'n rhaid i Dilys dderbyn erbyn hyn na fedrai hi roi'r gorau i yfed yn syth bin heb ddioddef symptomau digon difrifol i ddenu sylw, fel yr hen gryndod hyll yna.

Clywodd Eurwyn yn agor drws y cwpwrdd i nôl ei gôt a gwyddai ei fod ar fin cychwyn. Y peth gorau iddi hi ei wneud fyddai aros gartref heddiw a thorri i lawr gymaint ag y gallai ar ei hyfed—ni fyddai hynny'n ormod o ymdrech a hithau'n teimlo mor dda ei bryd y bore yma. Ac yna bore fory gallai fynd i'r Llan i wneud ei siopa wythnosol a phrynu dim ond hanner potel o jin i sicrhau nad yfai ddim ond ychydig bob dydd . . .

Sythodd Dilys yn ei chadair ar yr union eiliad y trawodd Eurwyn ei ben a'i ysgwyddau rownd cil y drws i ffarwelio. Yr oedd hi newydd gofio fod ei Mam yn dod i aros fore trannoeth ac na fyddai cyfle ganddi i sleifio o'i golwg am funud drwy'r pen-wythnos, i brynu jin nac i wneud dim arall.

'Eurwyn!' gwaeddodd, gan godi'i llais lawer gormod yn ei chynnwrf. Safodd yntau yn y drws fel cerflun, yn ei chael hi'n anodd credu mai'r ddynes frawychus o nerfus o'i flaen oedd yr un Dilys a fu'n eistedd yn hamddenol wrth ei ochr ar y soffa lai na chwarter awr yn ôl.

'Eurwyn!' meddai eto, gan neidio ar ei thraed. 'Mi wna i dy yrru di i dŷ Nel Pritchard.'

Agorodd Eurwyn ei geg ond ddywedodd o ddim byd. Rhoddodd hynny amser i Dilys feddwl yn sydyn.

'Yli,' meddai, 'mi ddof yn ôl amdanat ti wedyn. Am faint wyt ti'n bwriadu aros yno?'

'Wel,' atebodd yntau, yn falch fod y sgwrs yn troi i gyfeiriad digon arferol. 'Fedra i ddim aros llai na rhyw hanner awr. Dydi'r hen greadures byth yn gweld enaid byw i gael sgwrs efo fo heblaw ei chwaer grintachlyd. Ond dwi ddim am aros llawer mwy na hynny neu mi fydda i ar ei hôl hi'n waeth fyth efo'r bregeth at nos Sul.'

'I'r dim. Mi fydd hanner awr neu dri chwarter yn hen ddigon i mi,' meddai Dilys, yn ymwybodol ei bod hi'n swnio'n union fel athrawes yn siarad efo plentyn. Ychwanegodd air o esboniad. 'Eisiau picio i'r Llan ydw i.' Fe wyddai Dilys beth ddywedai Eurwyn nesaf a rasiai ei meddwl i gyrraedd yr ateb cyn i'r cwestiwn gael ei ofyn.

'I be?'

'Wel, y peth ydi, Eurwyn,' dechreuodd, 'dwi wedi dechrau mwydo'r cig ac ati ar gyfer cinio heno a dwi newydd sylweddoli nad ydi popeth sydd eu hangen arnaf gen i . . .'

'Dwyt ti erioed am fynd i'r Llan yn arbennig?' meddai Eurwyn yn syn. 'Fedri di ddim gwneud rhywbeth gwahanol efo'r cig?'

'Fi sydd wedi bod yn wirion, Eurwyn, ac wedi cymryd yn ganiataol fod gen i ddigon o bob dim. Dwi wedi cychwyn ar risêt arbennig a dwi ddim am wastraffu'r cig . . .'

I'w chlustiau ei hunan fe swniai'r esgus yn un gwan, ac roedd yn amlwg o wyneb Eurwyn nad oedd am lyncu'r stori fel ag yr oedd, ond roedd yn rhaid iddi gario ymlaen ar ôl gwthio'r cwch i'r dŵr. Anadlodd yn ddwfn, sgwariodd ei hysgwyddau a chymerodd gam i gyfeiriad ei gŵr. 'Yli, Eurwyn, roeddwn i am i hyn fod yn syrpreis ond rwyt ti'n gweld trwof fi'n rhy dda. Eisiau gwneud iawn am y

ffrae ddoe ac am ddydd Mercher ac ati roeddwn i
. . .'

Cododd Eurwyn ei law i'w hatal. Doedd o ddim
am glywed sôn am y digwyddiadau hynny byth
mwy.

'Beth bynnag, gan fod Mam yn dŵad fory,
roeddwn i am wneud cinio bach neis i ni'n dau
heno, a gwneud y cyrri arbennig yna wnes i ar dy
ben-blwydd di unwaith.'

'O, Dil, doedd dim eisiau . . .' meddai Eurwyn,
gan ruthro ati'n binc gan bleser.

'Ie, wel,' brysiodd Dilys yn ei blaen wrth i freich-
iau'i gŵr gau amdani, 'dydi o ddim yn mynd i fod yn
syrpreis rŵan, ond roeddwn i wedi meddwl mynd i
Tesco yn y Llan a chael y pethau at y cyrri.'

Cusanodd Eurwyn hi'n wresog.

'A thra 'mod i yno, waeth imi wneud y siopa i gyd
a sbario mynd i'r Llan bore fory, efo Mam yn dŵad.'

Edrychodd Dilys i fyny arno a gwyddai mai hi
oedd biau'r rownd hon eto.

'Mae o'n syniad da, Dil,' meddai, dan wenu, 'ac
mi fydd y cyrri'n blasu'n well fyth wedi cael trwy'r
dydd i edrych ymlaen ato fo.'

'Wel, os ydw i am gyrraedd Tesco cyn iddo gau,
well imi ei symud hi,' oedd ei hateb hithau.

Erbyn i Dilys yrru dwy filltir tua'r dwyrain i
ddanfon Eurwyn i gartref Nel Pritchard, a thorri
gair ar yr hiniog efo Grace, ei chwaer, yna gyrru'n ôl
heibio troad Pontheulyn ac ymlaen bedair milltir
i'r Llan, yr oedd hi'n hanner awr wedi un ar ddeg.
Parciodd ym maes parcio Tesco, gan ddal i lunio'r
fwydlen yn ei phen ar gyfer y pryd arbennig i ddau a
drefnwyd ganddi ar ffasiwn fyr rybudd. Ceisiodd
gofio cynhwysion y cyrri a oedd yn gymaint o

ffefryn gan Eurwyn—doedd hi ddim wedi mentro nôl y risêt o'r gegin cyn ymadael.

Rhuthrodd rownd y siop gan lenwi'r troli efo'i holl nwyddau arferol, ychydig o ddanteithion arbennig ar gyfer ei mam, cynhwysion y cyrri, darn o gig eidion at ginio Sul y Pasg, a photel o jin—prynodd botel fawr wedi'r cyfan gan ei bod hi'n llawer rhatach gwneud hynny na phrynu dwy hanner potel.

Roedd hi'n tynnu am bum munud i hanner dydd pan adawodd Dilys y siop a gallai glywed cloc neuadd y dref yn taro deuddeg wrth iddi droi cornel y sgwâr. Gwyddai yr arferai Grace Pritchard hulio bwyd erbyn hanner dydd ac y byddai Eurwyn yn teimlo'n annifyr yn aros yno wedi hynny, felly ni fentrodd wastraffu amser a mynd i barcio yn rhywle i fwynhau ychydig funudau efo'i photel lemonêd. Yn hytrach, cymerodd y botel fach o'i bag-llaw ac yfodd ohoni wrth yrru. Roedd y ffordd yn ddistaw, yr haul yn braf, a'r jin yn felys, ac erbyn i Dilys fynd heibio troad Pontheulyn, yr oedd hi wedi yfed llond y botel fach lemonêd. Roedd hi'n demtasiwn wedyn i stopio'r car am ennyd yno ar y lôn fach ddistaw ac ail-lenwi'r botel fechan o'r botel werdd newydd oedd yng ngwaelod ei basged siopa. Ond, yn unol â'i phenderfyniad y bore hwnnw i dorri i lawr ar ei hyfed, safodd Dilys yn gadarn yn erbyn y demtasiwn honno. Teimlai'n falch iawn ohoni ei hun wrth iddi basio trwy bentref bychan Glan-rafon, a chymerodd un llaw oddi ar y llyw i roi'r caead yn ôl yn dynn ar y botel lemonêd wag. Yna'n sydyn, ymddangosodd hen ŵr bach cefngrwm ar ganol y ffordd. Ymddangos a wnaeth, oherwydd yr oedd Dilys yn sicr nad oedd o yno eiliad ynghynt, a dim ond am eiliad y plygodd hi ei phen i sicrhau ei bod yn rhoi'r caead yn iawn ar y botel.

Gollyngodd y botel, gafaelodd yn dynn yn y llyw, gwasgodd bedalau'r clyts a'r brêc mor galed ag y gallai efo'i thraed, a chrensiodd ei dannedd fel petai hi'n ceisio gorfodi'r car i sefyll yn llonydd trwy ei nerth corfforol ei hun a dim arall. Ond dal i agosáu a wnâi'r hen ddyn yn ei gôt dywyll.

Yn rhyfedd iawn, ni sylweddolodd yr hen greadur fod yna gar yn gwibio tuag ato, a'i fod bron yn sicr o'i daro. Efallai mai byddar oedd o, ac os felly, hynny'n ddi-os a arbedodd ei fywyd, oherwydd yn lle aros, a sefyll yn stond mewn dychryn yn llwybr y peiriant dieflig, aeth yn ei flaen yn araf ond yn bwrpasol ar draws y ffordd. Ond os na sylweddolodd o fod y car yn nesáu, yna'n sicr fe ddylasai fod yn ymwybodol ei fod o wedi mynd heibio iddo oherwydd fe basiodd yr adain dde o fewn troedfedd i'w ben-ôl ac ni allasai lai na theimlo'r drafft. Ni feiddiodd Dilys edrych yn y drych i weld beth oedd ei adwaith. Yr oedd y car wedi arafu bron at aros, a sbardunodd ef i ailgychwyn ar ei union i gyfeiriad cartref Nel a Grace.

Aeth rownd y gornel nesaf, a'r nesaf ar ôl honno cyn arafu'r car a stopio wrth ochr y lôn. Yr oedd hi'n crynu cymaint fel mai peth echrydus o anodd oedd codi'i thraed oddi ar y pedalau a llacio'i gafael rhywfaint yn y llyw. Rywsut cafodd y botel a'r caead o'u cuddfannau ar lawr y car a thaflodd y ddau ar wahân i'w bag-llaw. Rywsut fe ailgychwynnodd y car a'i yrru'n boenus o araf weddill y ffordd. Rywsut fe wynebodd Eurwyn a'r ddwy hen wraig yn galonnog efo ymddiheuriad am fod yn hwyr, a rywsut fe lwyddodd i beidio â chau ei llygaid a sgrechian wrth i Eurwyn yrru'r car yn ôl drwy bentref Glanrafon i gyfeiriad Pontheulyn.

Cyn iddi agor y drws ffrynt, gallai glywed y ffôn yn canu. Llwyddodd i gael y goriad yn y clo, er bod ei llaw yn crynu cymaint wrth wneud hynny fel ei bod yn falch fod Eurwyn wedi mynd i gadw'r car ac felly'n methu'i gweld. Roedd hi'n hanner gobeith-io y byddai'r ffôn yn stopio canu cyn iddi ei gyrraedd, ond roedd pwy bynnag oedd ar ben arall y lein yn amyneddgar iawn. O'r diwedd, â'i phennau gliniau'n dal i deimlo fel jeli, cyrhaeddodd Dilys yr ystafell fyw, a doedd dim amdani ond codi'r der-bynnydd er mwyn distewi'r teclyn.

'Helô?'

'Dilys? Fi sydd yma.'

'O, helô, Mam.'

'Dim ond codi'r ffôn am funud cyn imi adael am y cyfarfod teirawr yn yr eglwys—mi fethais fynd yno am hanner dydd oherwydd 'mod i wedi addo taro i mewn efo mymryn o ginio i dad Mrs Williams drws nesa. Ta waeth am hynny, dwi ar fynd rŵan, a meddyliais y baswn i'n gadael iti wybod pryd i 'nisgwyl i. Hylô, wyt ti yna, Dilys?'

'Ydw, Mam.'

Llwyddodd Dilys i gadw'i llais rhag mynd yn sgrech ond fedrai hi ddim yngan gair arall. Y cwbl y gallai hi feddwl amdano oedd yr hen ddyn yna. Beth petai hi wedi ei ladd o?

'Wyt ti'n iawn, Dilys?' gofynnodd ei mam eto, gan ddychryn yr enaid allan o Dilys a oedd wedi anghofio ei bod hi yno.

'Ydw, Mam. Newydd ddŵad i'r tŷ rydw i'r munud yma ac wedi rhuthro braidd. Sori, pryd fyddwch chi'n cyrraedd bore fory, ddwedsoch chi?'

'Ddeudes i ddim eto, ond tuag un ar ddeg fydd hi.'

'Mi wna i'n siŵr fod yna baned yn barod ar eich cyfer chi.'

'Wyt ti'n siŵr dy fod ti'n iawn, Dilys?' Yr oedd yna fymryn o addfwynder yn llais Beryl Edwards a oedd yn reit ddieithr i'w merch, ac am eiliad fe oedodd Dilys, gan ystyried dweud wrth ei mam am yr hen ddyn, am y ddiod, am bopeth. Ond yna clywodd sŵn traed Eurwyn a sylweddolodd na fyddai'n gwybod sut i ddweud ffasiwn bethau wrth ei mam beth bynnag.

'Ydw, Mam, dwi'n iawn. Dim ond dipyn allan o wynt.'

'O, wel, rhaid imi fynd rŵan. Tan y bore 'ta.'

'Tan y bore, Mam. Da boch chi.'

Rhoddodd Dilys dderbynnydd y ffôn yn ei le. Cerddodd i'r gegin, taniodd y nwy dan y tecell, a suddodd i'r gadair agosaf ati. Yr oedd hi wedi dechrau crynu eto, crynu go iawn rŵan, crynu gan ofn wrth sylweddoli mor agos y daethai at fod yn llofrudd, a chrynu wrth feddwl beth fuasai wedi digwydd petai hi wedi cael ei darganfod yn gyrru car mewn modd peryglus a hithau a digon o jin ynddi i dorri'r gyfraith. Beth fuasai ymateb y plismyn, y pentref, ei mam, ei ffrindiau, Eurwyn, petai hi wedi cael ei dedfrydu'n euog o ladd hen ŵr tra'n gyrru car o dan ddylanwad diod gadarn?

Ysai Dilys am ddiod o jin i'w helpu i roi'r gorau i grynu, ond ar yr un pryd, ffieiddiai wrthi ei hun am ystyried gwneud y fath beth. Onid oedd y jin, a oedd eisoes wedi peryglu'i phriodas, ei hiechyd a'i rheswm, newydd beri iddi beryglu bywyd yr hen greadur yna? Petai hi wedi ei ladd, fe fyddai hi wedi bod ar ben arni. Onid rhybudd oedd y digwyddiad, rhybudd iddi i roi'r gorau i'r jin cyn iddi fynd yn rhy hwyr?

Dim jin, penderfynodd Dilys. A llwyddodd i reoli'r cryndod yn ddigon da hebddo i'w galluogi i baratoi cinio iddi hi ac Eurwyn. Teimlai'n well wedi gwneud y penderfyniad. Yn wir, yr oedd hi'n eithaf hwyliog wrth y bwrdd bwyd er na siaradodd hi gymaint ag arfer. Doedd Eurwyn ddim wedi sylwi fod unrhyw beth o'i le arni ar y ffordd adref o dŷ Nel Pritchard ac roedd o'n falch iawn o'i gweld hi mor ddiddig ar ôl ei chynnwrf annisgwyl y bore hwnnw. Aeth ymaith i'w stydi at ei bregeth yn ŵr bodlon ei fyd.

Bu Dilys yn brysur am awr go dda ar ôl cinio yn gwneud yr holl baratoadau ar gyfer y pryd arbennig gyda'r nos, ond pan oedd y cig yn mwydo yn y sbeis yng nghefn y cwpwrdd a'r pwdin yn setio yn yr oergell daeth yr hen awydd am ddiod drosti eto. Ni ddeuai Eurwyn i'r golwg am ddwyawr arall a doedd yna ddim gwaith tŷ yn galw. Ac onid oedd hi'n wastraff mynd i'r holl strach o fynd i'r Llan i brynu potel o jin ac yna peidio ag yfed ohoni? Ond yr oedd meddwl am yr hyn a ddigwyddodd yn ddigon i'w rhwystro rhag ildio i'r demtasiwn. Gwelodd eto yn llygad ei meddwl yr hen ŵr yn llusgo'i hun ar draws y ffordd, a dychmygodd eto sut siâp fuasai arno petai hi wedi ei daro. Dychmygodd blismon a bag bach rhyfedd yn ei law, dychmygodd orsaf yr heddlu, y llys, y papurau newydd. Gwelai'r cwbl fel petai o wedi digwydd mewn gwirionedd. Ac ymateb Eurwyn? Yn y fan honno fe fethodd ei dychymyg yn llwyr.

Yn sydyn, teimlai Dilys na allai eistedd yno funud yn rhagor yn troi'r peth yn ei meddwl. Roedd yr ysfa i rannu'r gyfrinach, i fwrw ymaith ei baich, bron â'i llethu. Eurwyn? Mi ddylai hi gyfaddef wrtho ef, ond nid ar brynhawn Gwener pan oedd o ar ganol paratoi ei bregeth. Tesni? Ni allai ystyried cyfaddef ei phroblem yfed nac unrhyw wendid arall wrth Tesni. Doedd yna neb arall ond ei mam.

Yr oedd Dilys ar fin mynd at y ffôn pan gofiodd am y cyfarfod teirawr. Gallai gofio mynychu'r myfyrdodau distaw, diddiwedd rheiny efo'i thaid yn ferch ifanc, a'i llygaid yn crwydro o gwmpas yr hen eglwys nes iddi fedru disgrifio pob crac yn yr hen lawr teils a phob smotyn o damprwydd ar y waliau gwynion.

Gallai hefyd gofio cyfnod pan fyddai gan ei mam bethau gwell i'w gwneud ar brynhawn fel hyn nag eistedd mewn eglwys oer am deirawr. Ond wedi iddi symud i Wrecsam daeth ar draws rhyw gwmni bach o weddwon canol-oed parchus dros ben a fyddai'n mynychu'r siop ddillad fach *select* yr oedd hi'n rheolwraig arni. Eu diddordebau nhw oedd nosweithiau coffi i hel arian at ymchwil feddygol, ambell yrfa chwist ddigyffro, ac unrhyw weithgareddau cysylltiedig â'r eglwys ac Undeb y Mamau. Trwy ymuno â'r cwmni hwn o gyfeillion newydd, daeth Beryl Edwards yn ffyddlon dros ben yn eglwys y plwyf a oedd yn eglwys grand o'i chof, ac yr oedd ganddi lond silff o hetiau cymwys i'w gwisgo i'r gwasanaethau, yn yr wardrob yn ei fflat fach gyfleus, glyd yn agos at ganol y dref.

Yr oedd Dilys wedi gweld y rhes o hetiau, ond ni allai ddygymod â'r ffaith fod ei mam yn eu gwisgo'n gyson. Ni allai gofio'i mam yn gwisgo het erioed heblaw mewn priodas neu gynhebrwng; byddai bob amser yn taro sgarff sidan dros ei gwallt pan ddechreuai fwrw glaw. Ond yr oedd gwisgo hetiau a mynd i'r eglwys yn rhan o'r Beryl Edwards newydd a aned pan fu farw Taid. Y trueni oedd y buasai'r ddynes newydd wedi plesio Taid yn llawer gwell na'r Beryl dafodog, flêr, gwynfanllyd, ddigrefydd a fu'n ffraeo'n feunyddiol efo fo drwy gydol pymtheng mlynedd ei weddwdod.

Yr oedd Dilys yn bresennol i glywed llawer o'r ffraeo chwerw hwnnw a ddechreuodd adeg marwolaeth Nain ac a barhaodd drwy gydol y blynyddoedd y bu hi'n tyfu i fyny ar yr aelwyd. A dweud y gwir, Dilys ei hun oedd testun llawer o'r brwydrau geiriol hynny, neu o leiaf hi oedd yr esgus drostynt. A phan ddaeth hi i'w harddegau, i'r oedran anhydrin hwnnw pan fo merched ifainc yn tueddu i wisgo'n rhyfedd, a chlepian drysau a chwyno'n ddibaid, fe waethygodd y ffraeo—neu efallai mai hi oedd yn fwy ymwybodol ohono.

Roedd Taid yn casáu gweld Dilys yn ei sgertiau cwta a'i cholur llygad glas, yn cwyno o hyd am sŵn diddiwedd ei recordiau pop a'r ffaith ei bod hi bob amser yn dod adre'n hwyr o'r clwb ieuenctid. Fe feiai o ei mam am beidio â threulio mwy o amser efo'r hogan ond atebai hithau fod amser yn beth prin iawn iddi hi efo job llawn-amser yn siop y cigydd a'r hen dŷ hen-ffasiwn yna i'w gadw'n lân, a hynny heb gymorth unrhyw beiriannau modern. Ac ar ben hynny, roedd yn rhaid iddi wneud y cwbl yn sŵn hen ddyn crintachlyd a welai fai ar bopeth a wnâi. Beth bynnag, ychwanegodd Beryl, doedd yr hogan ddim eisiau treulio amser efo'i mam ar ôl iddo fo ei throi hi yn ei herbyn.

Ac felly yr âi ymlaen ac ymlaen nes i Dilys ei chau ei hun fwyfwy yn ei hystafell fach oer, oer uwchben y pantri. Ond y ffrae waethaf bob wythnos oedd yr un am yr Ysgol Sul. Drwy'r blynyddoedd yr oedd Dilys wedi mynd yno'n ffyddlon efo'i thaid bob prynhawn Sul, ef i ymuno â dosbarth y pensiynwyr yng nghornel bellaf ysgoldy'r eglwys a hithau i ddysgu efo'r garfan fach o blant oedd yn mynd yn llai ac yn llai o flwyddyn i flwyddyn. Ond pan oedd Dilys yn ddeg oed, caethiwyd yr hen ŵr i'r tŷ gan ei gryd cymalau, a daeth yn amhosibl iddo gerdded i'r eglwys nac i unman arall. Am dair blynedd arall parhaodd Dilys i fynd i'r Ysgol Sul ar ei phen ei hun, heb gwmni heblaw ar yr un Sul hwnnw pan ddaeth ei mam efo hi i'w gweld yn derbyn bedydd esgob yn ei ffrog wen a'i phenwisg. Yna, yn dair ar ddeg oed, fe ddechreuodd Dilys golli diddordeb yn yr Ysgol Sul a chwiliai byth a beunydd am esgusion bach dros beidio â mynd.

Rhoddodd Taid y bai am hynny ar ei mam am beidio â mynychu'r eglwys a mynd â'r hogan i'r gwasanaethau gyda hi. Ni fu Dilys i wasanaeth ers blynyddoedd heblaw ambell wasanaeth carolau neu ddiolchgarwch pan oedd plant yr Ysgol Sul yn cymryd rhan. Atebodd Beryl Edwards fod ganddi ddigon o waith i'w wneud ar fore Sul efo cinio mawr i'w baratoi heb wastraffu hanner y bore yn yr eglwys. Parhaodd y ddau i ailadrodd yr un dadleuon ymhell wedi i Dilys roi'r gorau i fynychu'r Ysgol Sul a'r eglwys yn gyfan gwbl.

A rŵan dyma Dilys yn gorfod eistedd i ddisgwyl i'w Mam ddod adref o'r eglwys er mwyn medru trafod argyfwng personol pwysig efo hi. Araf iawn fu bysedd y cloc yn cyrraedd ac yn pasio tri o'r gloch. Gadawodd Dilys i ugain munud arall fynd heibio er mwyn rhoi amser i'w mam gael sgwrs y tu allan i'r eglwys a cherdded adref i'r fflat. Yna cod-odd y ffôn. Ond doedd neb yno, ac nid oedd neb yno am ugain munud i bedwar, nac am ddeng munud i bedwar chwaith. Dichon fod Beryl Edwards wedi mynd am fymryn o de efo un o'i chyd-eglwyswyr.

Arferai Eurwyn a Dilys gael te am bedwar o'r gloch. Heddiw, yr oedd y te a'r cacenni bach ar y bwrdd coffi yn brydlon ond am bum munud wedi pedwar nid oedd golwg o Eurwyn. Aeth Dilys i chwilio amdano gan amau ei fod wedi llwyr ymgolli yn ei bregeth ac wedi anghofio popeth am amser. Ond fel yr oedd hi'n agosáu at ddrws y stydi, clywodd gar yn arafu ac yn stopio y tu allan i'r tŷ, ac oedodd i wrando. Ymhen munud, gallai weld trwy wydr ffansi'r drws ffrynt ddau ddyn go fawr. Rhew-odd calon Dilys. Plismyn. Roedd rhywun wedi adnabod ei char, neu wedi nodi'r rhif, ac roedd yr heddlu wedi dod o hyd i'w chyfeiriad. Roedd y cwbl ar ben. Sut y gallai hi esbonio wrth Eurwyn rŵan?

Canodd cloch y drws ffrynt. Cerddodd Dilys ato mor araf ag y gallai, ac eto roedd hi yno'n llawer rhy fuan. Agorodd y drws. Ni ddaeth gair o'i phen, ac am ennyd a deimlai fel oes, fe safodd yno'n edrych arnynt gan ddisgwyl i'r cwestiynau ddechrau. O'r diwedd agorodd y talaf ohonynt ei geg. *'Could we come in for a while to talk to you about our Lord Jesus?'*

Yr acen Americanaidd, y siwt dywyll, y Beibl nad oedd yn union yr un fath â Beibl. Mormoniaid! Gwenodd Dilys wên a ymledai o un glust i'r llall wrth iddi roi iddynt yr ateb parod a gadwai ar gyfer Mormoniaid, Tystion Jehofa a'r cyffelyb rai. Caeodd y drws, a throdd yn ôl i'r tŷ. Yr oedd

Eurwyn yn dod o'r stydi, wedi clywed y Mormon-
iaid ond heb fentro allan nes i Dilys eu gyrru
ymaith. Cododd ef ei aeliau arni, gwenodd y ddau,
ac aethant i fwynhau eu te.

Bore Sadwrn

Er iddynt dreulio noswaith gytûn wedi'r cyrri, nid oedd Dilys ac Eurwyn wedi'u lapio ym mreichiau ei gilydd pan ganodd y ffôn yn gynnar fore Sadwrn. Gan mai hi fyddai'n cysgu'n fwyaf ysgafn, clywodd Dilys y ffôn ar unwaith ond nid aeth i'w ateb. Sythodd yn y gwely gan ofni mai'r heddlu oedd yno, a chyn iddi fagu digon o ddewrder i fynd i godi'r ffôn, yr oedd Eurwyn wedi deffro, wedi mwmian rhywbeth cwbl annirnad, ac wedi mynd i lawr y grisiau.

Clywodd Dilys ei lais cysglyd yn dweud y rhif ffôn, a hanner disgwyliai i'w lais addasu'n fuan i'r oslef a ddefnyddiai ar gyfer aelodau o'i braidd a oedd mewn trybini. Ond yn hytrach, cododd ei lais yn uwch ac yn uwch a siaradai'n fwy a mwy brysiog, nes i Dilys deimlo'n sicr mai'r heddlu oedd yno mewn gwirionedd.

'Pryd oedd hyn? . . . A beth ddwedson nhw? . . . Dim mwy na hynny? . . . Wrth gwrs 'mod i am ddŵad . . . Byddaf siŵr . . . Mi fydda i yno ar fy union . . . Byddaf, byddaf . . .'

Wrth i'r sgwrs fynd yn ei blaen, sylweddolodd Dilys mai mater yn ymwneud ag Eurwyn oedd dan sylw ac nid ei gyrru gwyllt hi fore ddoe. Setlodd felly i'w hen gêm o ddyfalu efo pwy yr oedd o'n siarad. Fel arfer, fe fyddai ganddi amcan reit dda. Byddai testun y sgwrs a'r jôcs bach diwinyddol yn amlwg pan fyddai'n siarad efo'i gyfeillion coleg, acen Pen Llŷn yn gryfach wrth drafod pêl-droed efo'i hen fêts o'r ysgol, ac felly hefyd wrth siarad efo'i deulu. Ond pan siaradai efo'i deulu yr oedd yna gynhesrwydd hefyd yn ei lais. Anaml iawn y byddai'n siarad efo'i dad dros y ffôn, ond byddai'n siarad efo Gwilym, ei frawd, pan oedd hwnnw gartref o'i dripiau cyson ar y cyfandir, a siaradai efo'i fam yn aml, mewn llais gwresog, cadarn a gadwai'n arbennig ar ei chyfer hi.

Ond doedd dim byd gwresog ynglŷn â'i lais rŵan. Bron y gallai Dilys gredu fod yna atgasedd yno, ac eto siaradai fel petai'n adnabod y person arall yn dda, ac roedd yn mynegi pryder ynglŷn â rhywun neu rywbeth. Roedd yn amlwg fod rhywbeth o'i le. Cododd Dilys, taflodd ŵn wisgo dros ei hysgwydd-au a brysiodd i lawr y grisiau.

Safai Eurwyn fel delw yn ymyl y ffôn er ei fod wedi gosod y derbynnydd yn ôl yn ei le. Ni wyddai Dilys beth i'w ddweud, a gadawodd i'w hwyneb wneud yr holi.

''Nhad,' meddai Eurwyn. 'Wedi cael trawiad ar y galon yn gynnar y bore 'ma. Mae o yn Ysbyty Gwynedd a Mam efo fo. Fedr Gwil ddim cyrraedd yn ôl o Ffrainc tan amser te. Julie oedd yno.'

Roedd hynny'n esbonio'r dirgelwch ynghylch tôn ei lais ar y ffôn. Ychydig iawn o Gymraeg fu rhwng Eurwyn a'i chwaer-yng-nghyfraith erioed.

'Dwi am fynd at 'Nhad yn syth,' meddai Eurwyn wedyn, gan symud rhyw hanner cam heb fynd i unrhyw gyfeiriad.

'Yli,' meddai Dilys, gan afael yn ei ysgwyddau a'i lywio tua'r soffa. 'Eistedda di'n fan'na i gael dy wynt atat. Dwyt ti ddim ffit i wneud dim am funud. Mi ro innau'r tecell ymlaen inni gael paned a mymryn o frecwast ac mi awn ein dau i Fangor. Mi wna i yrru os ydi hi'n haws gen ti beidio.'

'Na, na, aros di yma.' Llais cryfach rŵan, ffyrnig bron—y llais a ddefnyddiai i gadw Dilys allan o'i fusnes ef. 'Mae dy fam yn dod bore 'ma.'

'Mi ffonia i Mam, mi fydd hi'n deall yn iawn. Fyddai dim ots ganddi aros yn ei fflat fach glyd. Dim ond unwaith mae hi wedi aros yma mewn chwe blynedd—petai hi'n mwynhau dŵad fe ddôi hi'n amlach.'

'Na, dwi ddim eisiau iti stopio dy fam rhag dŵad. Dydi 'Nhad ddim mor ddifrifol wael â hynny. Trawiad go fychan oedd o—y peryg ydi y caiff un mwy yn ei sgîl. Allet ti ddim gwneud unrhyw beth, beth bynnag. Aros di i weld dy fam. Efallai y gallech chi'ch dwy ddod draw wedyn yn ei char hi.'

'Mi fyddai'n well gen i fod efo chdi,' meddai Dilys. 'Dwi'n ffonio Mam.'

Ni fedrai Eurwyn ddweud wrthi nad oedd o am gael ei chwmni, ac y byddai'n well ganddo fod efo'i deulu ar ei ben ei hun. Ond fe gafodd gryn drafferth i gelu'i ollyngdod pan na chafodd Dilys ateb yn fflat Beryl Edwards yn Wrecsam, er nad oedd hi ddim ond pum munud i wyth yn y bore.

'Mae'n rhaid ei bod hi ar ei ffordd,' meddai yn syth. 'Aros di yma, mi ffonia i o'r ysbyty i adael iti wybod beth ydi'r sefyllfa ac os na fydda i'n dŵad adre erbyn cinio fe gewch chi ddod draw i'r ysbyty.'

'Mi allwn i adael neges i Mam,' mentrodd Dilys wedyn, ond dangosodd Eurwyn mor anghwrtais fyddai hynny a'i mam yn dod yr holl ffordd o Wrecsam i'w gweld. Gadawodd ar unwaith, heb fymryn o frecwast na llymaid o de, gan beri i Dilys amau ei fod yn ofni y byddai hi'n dod o hyd i ffordd arall o ddatrys problem ei mam, a mynd efo fo wedi'r cwbl.

Wedi iddo fynd, gwisgodd Dilys a pharatôdd gawl cartref blasus y gallai ei adael mewn sosban ar y stôf i'w fwyta amser cinio neu amser te, pryd bynnag y byddai ei angen. Teimlai dynfa'r botel jin yn y cwpwrdd, ond gwnaeth baned a brechdan iddi ei hun yn ei le. Dim ond am ryw ddeng munud y parhaodd y rheiny.

Aeth ati wedyn i baratoi dau bwdin oer, un siocled ac un afal, y gallent eu bwyta rywbryd yn ystod y penwythnos petai'r prydau bwyd yn mynd yn ddi-drefn oherwydd gwaeledd ei thad-yng-nghyfraith. Wrth gymysgu'r blawd a'r menyn ac wrth chwipio'r gwynwy, ceisiodd gydymdeimlo ag Eurwyn. Ceisiodd ddyfalu sut y teimlai, a beth fyddai'r effaith arno pe collai ei dad, ond roedd hi'n anodd gwneud hynny gan na fu ganddi hi dad erioed. Ac ni allai anghofio'r ffordd y bu i Eurwyn ei chau hi allan. Pan ddeuai hi i'r pen, meddyliodd Dilys, gan guro'r wyau a'r siwgr yn ffyrnig, roedd gan Eurwyn gymaint o deulu ac o ffrindiau agos fel nad oedd ei hangen hi arno, ond doedd ganddi hi neb ond fo a'i mam, a doedd yr un ohonyn nhw am adael iddi hi rannu dim ond cornel o'u bywydau.

Erbyn chwarter i ddeg roedd Dilys wedi paratoi llu o ddanteithion blasus, wedi glanhau'r tŷ yn drwyadl, er ei fod yn lân eisoes, ac wedi gweithio ei hun i gyflwr o hunandosturi go ddifrifol. Roedd hi ar bigau'r drain yn gwrando am alwad ffôn gan Eurwyn ac am sŵn olwynion car ei mam ar y cowt. Ond erbyn deg o'r gloch doedd hi ddim wedi clywed na siw na miw o'r un ohonynt. Dechreuodd boeni. Os oedd ei mam wedi cychwyn cyn wyth fe ddylai hi fod wedi cyrraedd cyn hyn. Ar ôl ei phrofiad ddoe, roedd Dilys yn ymwybodol dros ben mor hawdd y gallai damweiniau ddigwydd ar y ffordd.

Dechreuodd grynu eto. Doedd hi ddim wedi yfed diferyn ers cyrraedd adref ddoe. Wnâi hi mo'r tro i groesawu ei mam yn gryndod i gyd, a phwy a ŵyr pryd y câi hi gyfle eto. Onid oedd hi wedi ei darbwyllo ei hun fore ddoe nad peth doeth fyddai rhoi'r gorau i yfed ar amrantiad, ond yn hytrach dorri i lawr yn raddol? Rhyw fymryn bach rŵan cyn i Mam gyrraedd, a dim mwy tan ddydd Llun, ar ôl iddi fynd. Wedi gwneud penderfyniad, aeth Dilys ati i olchi'r botel lemonêd wag a'i llenwi ar gyfer argyfwng, a thywalltodd un llond mỳg blodeuog iddi ei yfed rŵan, gan osod y botel werdd yn ôl yn bendant yng ngwaelod y fasged siopa. Un mygiad yn unig. Byddai ei mam yno'n fuan, mae'n siŵr.

Setlodd ei hun yn gyfforddus yn ei chadair, ac anghofiodd am y ffôn ac am ei mam am dipyn gan fwynhau ymlacio, peidio crynu, peidio brifo, peidio meddwl hyd yn oed. Yna ciciodd ei hesgidiau i ffwrdd ac ystyriodd ffonio'r ysbyty. Gwell iddi beidio. Dywedodd Eurwyn y byddai o'n ei ffonio hi, a gwylltio a wnâi petai'n cael ei alw at y ffôn ar adeg anghyfleus. Ceisiodd beidio â meddwl fod Eurwyn wedi ei llwyr anghofio, wrth ddychwelyd i blith ei deulu. Ond wedi'r cwbl, pwy fyddai'n ei feio petai'n gwneud hynny? Oddi ar iddi eu cyfarfod am y tro cyntaf yr oedd Dilys wedi meddwl y byd o rieni Eurwyn ac wedi bod yn genfigennus braidd o'r cariad teuluol a oedd mor amlwg ar eu haelwyd. Roedden nhw mor annwyl a chroesawgar ac eto mor gwbl onest a chadarn nes bod eu haelwyd yn debyg i'r delfryd hwnnw o aelwyd Gymraeg, yn gariadlon, moesol a diwylliedig.

Byddai Mrs Roberts bob amser yn brysur yn glanhau a choginio, yn gweu ac yn golchi ond âi o gwmpas ei gwaith yn ysgafndroed fel petai dim yn well ganddi na gwneud y tasgau hyn er lles ei han-wyliaid. Ar y llaw arall, dyn bodlon, distaw oedd tad Eurwyn. Byddai allan hyd ei gaeau tra oedd hi'n olau, ac yn ddiddig yn ei gornel efo llyfr wedi iddi nosi. Prin oedd ei eiriau, ond distawrwydd rhadlon oedd ei ddistawrwydd ef. Pan eisteddai'r hen Idwal Roberts yn ddistaw yn ei gornel, yn aml fe fyddai gwên fach yn chwarae o gwmpas cornel ei geg. Ac yr oedd bod yn dyst i'w fodlonrwydd distaw yn gysur i Dilys bob amser—efallai mai dyna pam na hoffai feddwl amdano'n dioddef unrhyw boen. Ceisiodd droi ei meddwl at destun arall, a chafodd ei hun, er ei gwaethaf, yn meddwl am yr aelwyd wahanol iawn y'i magwyd hi arni.

Dyn prin ei eiriau oedd Taid hefyd, ond doedd dim byd rhadlon yn ei ddistawrwydd ef. Ac ni chofiai Dilys iddi erioed ei weld yn gwenu. Wrth gwrs, yn hen ddyn y cofiai hi ef, a hwnnw'n hen ddyn wedi ei chwerwi gan golled ei fab a'i gymar, ac wedi ei dorri gan boen. Siawns iddo fod yn ddyn gwahanol iawn yn ei anterth. Yn wir, erbyn meddwl, gallai Dilys ryw frith gofio nad oedd yr hen ŵr lawn mor grintachlyd yn y blynyddoedd cyn i Nain farw. Ond prin oedd ei chof am y cyfnod hwnnw gan i'r hen wreigan farw pan oedd Dilys yn bump oed. Am flynyddoedd cyn hynny, bu ei Nain yn wan ac yn wael, yn ddynes fach, fach a orweddai mewn gwely plu dwfn yn y llofft gydol y flwyddyn, ond a gâi ei chario i'r parlwr i dreulio diwrnod Nadolig efo'r teulu bob blwyddyn.

Doedd mam Dilys ddim yn mynd allan i weithio bryd hynny, wrth gwrs. Ond pan fu farw Nain ychydig fisoedd ar ôl i Dilys fach ddechrau mynychu ysgol y pentref, cafodd Beryl Edwards waith yn siop y cigydd yn y dref. Byddai'n mynd â Dilys at gât yr ysgol yn y bore cyn dal y bws i'r dref, ac yna byddai Dilys yn cerdded adref efo'r hogan drws nesaf i ddisgwyl yn y tŷ distaw efo'i thaid i Mam ddod adref i wneud te.

Doedd Taid ddim yn fodlon o gwbl ar y sefyllfa hon. Teimlai'n gryf mai gartref yn gofalu am ei thad a'i phlentyn y dylai Beryl fod. Ond er iddo gwyno a swnian a thantro, ac er bod cadw'r tŷ a gweithio llawn-amser yn gosod llawer o straen ar ei hamynedd a'i hiechyd, ni ildiodd mam Dilys. Ei safbwynt hi oedd fod ei gwaith yn ei gwneud o leiaf yn rhannol annibynnol ar ei thad a dyna'r union reswm, wrth gwrs, pam yr oedd ef mor wrthwynebus i'r syniad. Byddai'n well o'r hanner ganddo ef ei gweld yn stryffaglio byw ar ei phensiwn gweddw hi a'i bensiwn henoed ef, yn gorfod plygu i'w ewyllys ef ym mhopeth.

Efallai mai rhy debyg i'w thad oedd Beryl Edwards. Mynnodd gael ei ffordd ei hun. Gan ei bod hi'n gweithio gallai fforddio dillad, teganau i Dilys, a rhyw ychydig o fywyd cymdeithasol. Swm a sylwedd ei chymdeithas mewn gwirionedd oedd mynd allan i'r dref bob nos Sadwrn efo'i ffrind, Sali, a oedd yn gweithio efo hi yn siop y cigydd. Fel arfer byddai'r ddwy yn mynd i'r sinema ac efallai am ddiod fach wedyn cyn dal y bws olaf adref. Digon diniwed, mae'n wir, ond anghytunai Taid yn ffyrnig efo'r fath oferedd. Ar y llaw arall, fe fyddai Dilys fach yn edrych ymlaen at y nosweithiau

Sadwrn hynny. Yn un peth, fe fyddai ei mam bob amser yn haws gwneud efo hi ar nos Sadwrn cyn iddi fynd allan efo Sali nag y byddai ar unrhyw adeg arall—yn barotach ei gwên, yn fodlon rhoi amser i'w merch, i chwarae gêm efo hi neu i wrando arni'n canu neu'n adrodd. Ac yn ail, gan fod Taid yn gwrthod gwneud dim i roi cefnogaeth o fath yn y byd i weithgareddau'r nosweithiau Sadwrn dieflig hynny, ciliai i'r parlwr yn syth ar ôl te a byddai Anti Megan yn dod draw i warchod Dilys.

Doedd Anti Megan ddim yn perthyn i Dilys mewn gwirionedd—doedd gan y teulu ddim perthnasau o gwbl ar dir y byw. Hen ffrind ysgol i Mam oedd hi, ac yn ffefryn mawr efo Dilys, yn bennaf am ei bod hi bob amser yn dod â llond bag chwarter pwys o fferins iddi ac yn fodlon darllen stori ar ôl stori iddi unwaith yr oedd hi wedi'i lapio'n gynnes yn ei gwely. Byddai Dilys yn ymdrechu i gadw'n effro ar gyfer un stori arall, ond mynd i gysgu a wnâi hi bob tro. A'r peth nesaf a wyddai Dilys, byddai Anti Megan wedi mynd, a Mam yn sleifio'n ddistaw i'r ystafell a rannai'r ddwy ohonynt yn y dyddiau hynny, cyn i Dilys gael ei symud allan i'r ystafell fechan uwchben y pantri. Byddai bys Mam bob amser dros ei cheg i rybuddio Dilys i beidio â gwneud smic i ddeffro'r hen ŵr a gysgai'r ochr arall i'r pared tenau. Fe fyddai llygaid Mam yn sgleinio hefyd a byddai arogl od arni bob amser pan blygai hi i roi sws fach sydyn ar foch Dilys a'i siarsio hi'n ddistaw bach i fynd yn ôl i gysgu'n eneth dda. Ac os na fedrai Dilys wneud hynny'n syth, yna byddai Mam yn closio ati yn ei gwely bach hi ac yn ei gwasgu hi'n dyner ati nes iddi gysgu.

Fore Sul, byddai pethau'n dra gwahanol. Ni fyddai arlliw o wên ar wyneb Mam ac weithiau deuai Dilys i lawr i'r gegin i'w gweld hi'n eistedd yn ei chwman dros y bwrdd yn edrych yn llwyd ac yn llipa. Pan geisiai'r hogan fach anwesu ei mam, ychydig iawn o groeso a gâi ganddi.

'Os wyt ti isio helpu, dos i roi dŵr yn y tecell i wneud paned i Taid,' fyddai ymateb swta Beryl Edwards.

Ac os teimlai hi ronyn o gywilydd wrth weld ysgwyddau ei merch yn gostwng wrth i'w chefn bach tenau ymlwybro at y sinc efo'r tecell trwm, du, buan y deuai hi dros y teimlad hwnnw. Roedd yn gas gan Beryl Edwards fore Sul. Cymaint o waith paratoi ar gyfer cinio, a hwnnw wedi ei fwyta o fewn pum munud o'i osod ar y bwrdd. Ac yna'r mynydd o lestri. A dim gair o ddiolch nac o werthfawrogiad wrth gwrs. Doedd hi'n disgwyl dim gan Dilys, ond fe fyddai gair o ganmoliaeth o enau ei thad yn gwneud gwahaniaeth mawr i'w bywyd. Ond na, mwy o grintach fyddai hi—y tatws yn rhy galed, y cig yn rhy hallt, y moron yn rhy hen, ac yn y blaen, ac yn y blaen. A chyn i Dilys orffen llenwi'r tecell, fe fyddai o yno'n cyfarth ar Beryl i beidio â diogi ac i hulio brecwast. Yna, mi eisteddai fel ymerawdwr wrth ben y bwrdd i wylio un ai ei ferch neu ei wyres druan yn cario'r tecell mawr trwm ar draws y gegin i'w osod ar y tân.

'Pam na fuaset ti'n hel dy draed a dod efo fi a'r hogan i'r eglwys?' gofynnai o'i orsedd. 'Gormod o gywilydd i wynebu pobl, mae'n siŵr, ar ôl bod yn hel dy dîn efo caridyms y pentref neithiwr.'

Nid atebai Beryl a byddai brecwast yn cael ei baratoi a'i fwyta mewn distawrwydd bygythiol.

O'r diwedd, byddai'r hen ŵr wedi gwagio'i blât a chodi o'r bwrdd, gydag amnaid fach o'i ben yn arwydd i Dilys y byddai'n disgwyl amdani yn y parlwr i wrando arni'n adrodd y catecism.

Daeth Dilys i gasáu boreau Sul, a chydag amser, dechreuodd deimlo nad oedd y mwynhad a gâi ar nos Sadwrn yn ddigon i wneud iawn am y bore Sul canlynol. Ond yna, yn ddisymwth, daeth y nos-weithiau Sadwrn difyr hynny i ben.

Fe ddaeth Anti Megan fel arfer ryw nos Sadwrn, ac fe aeth Dilys i gysgu i sŵn ei llais ysgafn, hyfryd yn adrodd hanes Gelert, un o'i hoff straeon. Y peth nesaf a glywodd y ferch fach oedd sŵn lleisiau gwa-hanol iawn yn dod o'r gegin.

Eisteddodd i fyny'n gysglyd yn y tywyllwch. Gwyddai, er na allai hi weld, nad oedd ei mam yn cysgu yn y gwely'r ochr arall i'r llofft. Wrth iddi ddod yn fwy effro, clywai sŵn y gweiddi'n fwy clir. Llais Taid oedd o. Ni allai glywed beth yr oedd o'n ei ddweud ond âi'r llais ymlaen ac ymlaen. Roedd yno sŵn arall hefyd, fel sŵn anifail bychan mewn poen. Cododd Dilys o'r gwely a mentrodd ar flaen-au ei thraed ar hyd y llawr oer, oer at y drws ac yna'n ddistaw bach i lawr y grisiau.

O'r cyntedd gallai glywed geiriau Taid yn glir, ond nid oedd yn ei ddeall. Gallai glywed y sŵn arall yn gliriach hefyd, sŵn anghyfarwydd iawn oedd o, sŵn Mam yn crio'n ddilywodraeth.

'Sbia'r golwg sy arnat ti!' gwaeddodd Taid. 'A waeth iti heb ag udo fel yna arna i. Y ddiod sy'n crio. Heb y jin does gen ti ddim digon o galon i wylo'r un deigryn.'

Ni wnaeth ei eiriau iot o wahaniaeth i'r crio hidl. Ysai Dilys am gael rhedeg at ei mam i'w chysuro, ond yr oedd gormod o ofn ei thaid arni. Felly safodd yng nghysgodion y cyntedd cul, yn crynu ac yn gwrando.

'Dwyt ti ddim gwell na phutain goman,' gwaeddodd Taid eto, 'ac os wyt ti am ddwyn cywilydd arnat ti dy hun trwy ymddwyn fel putain, rhyngot ti a dy bethau, ond paid byth, BYTH, â dod â rhyw labwst fel yna i'r tŷ yma eto. Does gen i ddim arall yn y byd ond y tŷ yma, ac os byddi am droi cartref dy fam yn noddfa i bechaduriaid ar ôl imi farw, fedra i mo dy rwystro di. Ond, myn brain i, chei di ddim gwneud tra 'mod i ar dir y byw!'

Roedd o'n amlwg wedi gorffen dweud ei bwt a chlywodd Dilys sŵn ei draed yn llusgo'n nes ati. Trodd y ferch fach i'w heglu hi i fyny i'r llofft, ond yna arhosodd yn ei hunfan pan glywodd hi ei mam yn peidio ag wylo yn sydyn. Clywodd lais—llais ei mam, ac eto nid llais ei mam—llais fel llais merch ifanc bron.

'Doedd Elwyn a fi'n gwneud dim byd ond sgwrsio, 'Nhad. Rydan ni'n ffrindiau ers tro a, waeth imi gyfaddef, roeddwn i wedi dechrau gobeithio y byddai o'n gofyn imi ei briodi o. Wnaiff o ddim rŵan a chithau wedi ei alw'n bob enw dan haul a'i fygwth o fel yna.'

Roedd llais Taid yn ddistaw rŵan, ond yn ddeifiol.

'Dy briodi di? Fuo yna erioed yr un dyn oedd isio dy briodi di. Mi gefaist ti ddigon o drafferth i gael y dwytha 'na at ddrws y llan a hynny'n rhy hwyr i arbed tafodau'r lle yma rhag clecian. Ac wedyn mi wnest ti ei fywyd o mor annioddefol nes iti ei yrru o i ffwrdd i'w farwolaeth cyn pen chwe mis.'

Dechreuodd Mam wylo eto, ond yn ddistaw y tro hwn, ac yn chwerw.

'Roeddwn i'n meddwl,' meddai hi drwy ei dagrau, 'y buasech chi'n falch 'mod i'n cael cyfle i gael tipyn o hapusrwydd.'

'Mae'n rhaid ennill hapusrwydd, ddynes,' oedd ateb Taid. 'Wnest ti ddim byd dros neb erioed. Pa hawl sy gen ti i hapusrwydd?'

'Fues i byth yn ddim byd ond morwyn ddi-dâl. Beryl, gwna hyn. Beryl, gwna'r llall. Beryl, gwna di bopeth er mwyn imi fedru rhoi popeth i Richard.'

'Doedd hi ddim yn iawn i Richard gael pob cyfle i wneud ei ffordd yn y byd?.'

'A beth amdana i? Roedd yna lawn cymaint yn fy mhen i ag oedd yn ei ben o, ond fi oedd yn gorfod 'madael â'r ysgol yn bedair ar ddeg oed i ennill cyflog i dalu i Richard bach gael mynd i'r coleg i fod yn ddoctor. Ac i be? Iddo fo daflu'r cwbl yn eich wyneb chi cyn pen blwyddyn?'

'Mi wnaeth Richard ei ddyletswydd dros ei wlad,' cyfarthodd Taid.

'Dydach chi erioed yn credu hynny? Ofn eich wynebu chi oedd o pan fyddai'n cael ei daflu o'r coleg am beidio gweithio. Dyna fuasai wedi digwydd petai o wedi aros yno. Doedd yna ddim achos arall iddo fo ymuno â'r fyddin a'r rhyfel bron iawn drosodd. Fe allai dyn dall weld fod y cwbl drosodd, ond na, fe aeth o i ffwrdd i ddianc rhag canlyniadau ei ffolineb. Ond fedrodd o ddim dianc yn ddigon handi rhag y bom a'i lladdodd o.'

Gwnaeth Taid sŵn rhyfedd, fel petai o'n tagu ar gegaid o fwyd. Roedd Mam, fodd bynnag, yn uchel ei chloch. 'Gwastraff llwyr fu bywyd Richard o'r dechrau i'r diwedd. Ac wrth wastraffu pob cyfle a roddwyd iddo fo, fe wastraffodd o'n bywydau ninnau hefyd, chi a fi a Mam.'

Roedd Beryl yn barod i ddweud llawer mwy ond roedd yr hen ŵr wedi clywed digon. Trodd ei gefn arni ac agorodd ddrws y gegin. Yn y cyntedd, ni chafodd Dilys gyfle i sleifio o'r golwg, felly gwasgodd ei hun yn erbyn y wal yng nghysgod y cloc mawr. Gwyliodd ei thaid yn dringo'r grisiau'n boenus o araf, gan lusgo'i draed yn waeth nag arfer. Y munud y caeodd ef ddrws y llofft ffrynt, rhedodd Dilys i'r gegin i ganfod ei mam yn wylo'n ddistaw yn y gadair wrth y ffenestr. Rhedodd y ferch fach ati, ac agorodd breichiau Beryl i'w derbyn. Gwasgodd hi a'i siglo, nes ei bod yn amhosibl dweud pwy oedd yn cysuro pwy. A hyd yn oed heddiw, bron chwarter canrif yn ddiweddarach, gallai Dilys gofio'n union sut y teimlai hi'r noson honno, yn ddiogel ym mreichiau Mam. Hyd heddiw, yr oedd arogl jin yn ei hatgoffa am y goflaid fythgofiadwy honno.

Wrthi'n sipian jin yr oedd Dilys pan glywodd sŵn olwynion car ei mam ar y cowt o flaen y tŷ. Brysiodd i olchi'i chwpan a chuddio'r arogl ar ei gwynt, ond fu yna ddim cofleidio rhyngddynt y bore hwnnw. Cariodd Dilys fag ei mam i'r tŷ gan esbonio'n ddigon cymysglyd fod tad Eurwyn yn wael a'i bod yn disgwyl clywed gan Eurwyn unrhyw funud.

'Fuasech chi gystal â mynd â fi i Fangor i'r ysbyty?' gofynnodd. 'Fe gawn ni baned a sgwrs wrth aros iddo ffonio ac wedyn fe allwn ni fynd yn syth.'

Ymhen hanner awr yr oedd y baned wedi'i hyfed a'r sgwrs yn dechrau mynd yn denau, ond doedd dim sôn am alwad ffôn gan Eurwyn. Neidiodd Dilys o'i chadair efo gwên anghyfforddus. 'Mae'n siŵr eich bod chi eisiau bwyd. Fe gawn ni ginio cynnar ac wedyn fydd dim rhaid inni boeni am fwyta ar ôl cyrraedd yr ysbyty.'

'Iawn,' atebodd ei mam. 'Ga i roi help llaw iti i baratoi rhywbeth? Rhaid imi gyfaddef 'mod i'n reit newynog. Fe godais i'n gynnar i fynd i'r litani erbyn wyth.'

'Does dim gwaith paratoi gen i,' atebodd Dilys. 'Mae gen i gawl cartref sydd ddim ond eisiau ei gyn-hesu. Mi alla i daro peth ohono mewn fflasg i Eurwyn yr un pryd.'

Ond yr oedden nhw wedi gorffen bwyta a phara-toi fflasg a brechdanau i Eurwyn, ac roedd Beryl yn mwynhau sigarét tra bod Dilys yn golchi'r llestri, ond ni ddaethai'r un gair oddi wrth Eurwyn.

Bore Sul

Eisteddai'r tri ohonynt o gwmpas y bwrdd brecwast gan fwyta ac yfed heb siarad fawr ddim nes bod y pryd bron iawn drosodd. Bryd hynny y trodd Beryl Edwards at ei mab-yng-nghyfraith i ofyn ble yn union yr oedd eglwys plwyf Pontheulyn.

Edrychodd Eurwyn fel petai o wedi ei syfrdanu gan y cwestiwn. Nid ymddangosai fod Dilys wedi clywed dim; bu'n ymddwyn fel petai hi wedi ei syfrdanu ers iddi godi, a bu ei mam yn gwneud ei gorau glas i dynnu sylw Eurwyn oddi wrth gyflwr ei wraig. Ond ni sylwodd yntau fod dim o'i le ac yn awr, wedi meddwl am funud, atebodd gwestiwn ei fam-yng-nghyfraith.

'Mae'r eglwys y tu allan i'r pentref ar hyd y lôn fach gul sy'n troi'r tu ôl i'r llythyrdy,' esboniodd. 'Dydi hi ddim yn eglwys hynafol nac yn un arbennig o hardd.'

'Ac am faint o'r gloch mae gwasanaeth y bore yno?' gofynnodd ei fam-yng-nghyfraith wedyn.

'Wn i ddim yn sicr. Tua'r hanner awr wedi naw neu ddeg yma, dwi'n credu. Dydych chi ddim yn meddwl mynd yno heddiw, Mrs Edwards?'

'O, ydw, Eurwyn. Oes yna rywun allai roi'r amser iawn i mi?'

'Ond y tro diwethaf roeddech chi yma, fe ddaeth-och chi i'r oedfa efo ni,' protestiodd yntau. 'Fe fydd Dilys yn falch o'ch cwmni chi heno.'

Edrychodd i gyfeiriad ei wraig am gadarnhad ond er iddi ymateb i sŵn ei henw, roedd hi'n amlwg hyd yn oed i Eurwyn nad oedd hi wedi bod yn dilyn y sgwrs. Edrychodd arno fel un yn syllu trwy niwl trwchus ac aeth ef ati i esbonio wrthi'n amynedd-gar.

'Fe fyddet ti wrth dy fodd yn cael dy fam efo ti yn yr oedfa heno.'

'Byddwn, siŵr, Mam,' gwenodd hithau'n ddryslyd.

'Mi wn i nad ydych chi'n gyfarwydd efo'n ffordd ni o wneud pethau yn yr eglwys,' dechreuodd Beryl Edwards yn ei llais mwyaf hunangyfiawn, 'ond mae hi'n ddyletswydd ar bob aelod o'r eglwys i gymuno ar bob Sul fedr o, ac yn arbennig adeg y Nadolig, y Sulgwyn, ac yn bennaf oll, ar Sul y Pasg. Byddai'n bechod ar fy rhan i imi beidio â derbyn y cymun bendigaid heddiw o bob diwrnod,' ychwan-egodd, gan ddiystyru'n llwyr yr holl flynyddoedd hynny na fu'n croesi trothwy unrhyw addoldy o fath yn y byd.

'Ond mae gennym ni gymun heno, Mrs Edwards,' meddai Eurwyn, fel petai'n ceisio rhoi clo ar y mater. 'Dwi fy hun yn cytuno efo'r arferiad o gynnal Swper yr Arglwydd ar Sul y Pasg. Fe gewch chi ddod i'n cymun ni heno efo Dilys ac, os ydych chi eisiau addoli'r bore 'ma hefyd, fe gewch ddod efo mi. Fydd Dilys byth yn mynychu oedfa'r bore gan fod gofynion cinio dydd Sul yn gwneud hynny'n anodd iddi.'

'Dwi'n hynod o falch o glywed eich bod chi am ddathlu'r cymun ym Moreia,' meddai mam Dilys wedyn, efo gwên urddasol, 'ond tra 'mod i'n berffaith fodlon bod yn eangfrydig a dod i'r capel efo Dilys ar Sul cyffredin, dwi'n teimlo mai yn yr eglwys y dylwn i fod heddiw.'

109

Caeodd Eurwyn ei geg yn dynn ac edrychodd i gyfeiriad Dilys am gefnogaeth. Chafodd o ddim. Roedd hi'n dal i'w chael hi'n anodd iawn canolbwyntio ar y presennol.

'Dwi wedi mynychu holl wasanaethau'r Wythnos Fawr, Eurwyn,' aeth y llais main yn ei flaen gyda rhyw fath o arddeliad. 'Dwi wedi bod i'r cymun cynnar bob bore cyn mynd i'r gwaith ac ar ddydd Gwener y Groglith fe fûm i i'r cyn-gymun ac i'r myfyrdod teirawr—wel, bron iawn y cwbl ohono fo—ac fe fues i i'r litani bore ddoe cyn dod yma. I ni eglwyswyr,' parhaodd y ddarlith, 'paratoad ydi'r holl bethau hyn at y gwasanaeth cymun ar Sul y Pasg. Mi fyddai'n bechod garw gen i fethu'r gwasanaeth y bore 'ma. Gan bwy, felly, y caf i wybod amser y gwasanaeth?'

'Wel, dwi ddim yn siŵr, Mrs Edwards,' mwmiodd Eurwyn yn niwlog ddigon. 'Does dim ficer yma ym Mhontheulyn a fedra i ddim meddwl am . . .' Yn anffodus iddo ef, dewisodd Dilys y foment honno i ddychwelyd o'i niwl ei hun a dechrau gwrando arno.

'Mi allet ti ffonio ficer y Llan,' awgrymodd. 'Fo sydd â gofalaeth am yr eglwys yma ac mae ei rif o yn y llyfr am ei fod o ar y pwyllgor apêl yna . . . Neu . . . mi wn i . . . eglwyswyr ydi Mr a Mrs Bowen sy'n cadw'r siop bapurau. Maen nhw'n rhai go selog,' ychwanegodd, gan droi at ei mam, 'oherwydd dim ond o wyth tan hanner awr wedi naw y byddan nhw ar agor i werthu'r papurau dydd Sul, er mwyn iddyn nhw gael mynd i'r eglwys wedyn.'

'Os felly, mae gen i awr o leiaf cyn y gwasanaeth,' meddai ei mam.

'Wn i, Mam.' Roedd Dilys yn wên i gyd erbyn hyn, mewn cyferbyniad llwyr i Eurwyn. 'Mae gen i fymryn o gur pen ac mae gen i ffansi i fynd am dro bach yn yr awyr iach. Mi allwn i gerdded i'r siop i brynu papur a gofyn i Mr neu Mrs Bowen am amser y gwasanaeth yr un pryd.'

Cododd o'i chadair heb ddweud gair ymhellach. Ymhen pum munud yr oedd hi'n mwynhau blas yr awel a gwres haul y bore a dywynnai'n gryf ar ei chefn er gwaethaf yr awel fain. Sylwodd wrth gerdded heibio nad oedd Eurwyn wedi parcio'r car bach coch mor daclus ag arfer wrth ochr y tŷ. Y car bach coch, yn anuniongyrchol, oedd wedi arwain at y newyddion anhygoel a newidiodd ei bywyd dros nos ac a barodd iddi synfyfyrio cymaint wrth y bwrdd brecwast.

Efallai nad oedd Dilys a'i mam yn mwynhau perthynas glòs, ond roeddynt yn adnabod ei gilydd yn dda serch hynny, ac roedd Beryl Edwards yn ddynes graff. Ddoe, erbyn i'r ddwy ohonynt loetran o gwmpas y lle am awr gron ar ôl cadw'r llestri cinio, a'r ffôn heb ganu, fedrai Mrs Edwards ddim llai na sylwi fod ei merch ar bigau'r drain.

'Efallai fod yr ystafell lle mae tad Eurwyn yn bell o unrhyw ffôn neu ei fod o'n rhy ddifrifol wael iddyn nhw ei adael o,' meddai Dilys wrth ei mam o'r diwedd, heb fawr o argyhoeddiad yn ei llais. 'Fyddai ots gennych chi fynd â mi draw i Fangor?'

'Bc wnaet ti petawn i'n gwrthod?' gwenodd ei mam. 'Mae hi'n reit anodd mynd o'r lle 'ma heb gar.'

'Wel, mae posib mynd os ydych chi'n ifanc a heini,' cynigiodd Dilys. 'Mi fyddai raid imi gerdded dros filltir a hanner ac wedyn cael bws i'r Llan a disgwyl yno am fws i Fangor. Oni bai am yr hen Fodryb Nel, mi fyddai hi'n dipyn o strach i mi fynd i unman heb Eurwyn.'

'Modryb Nel?'

'Wel, heblaw am y pres gefais i ar ei hôl hi, fyddwn i byth wedi medru fforddio car newydd. Er inni ei newid o'n rheolaidd ers hynny, hi dalodd am yr un gwreiddiol. Ac oherwydd hynny, mae hi'n anodd iawn i Eurwyn wrthod imi ddefnyddio'r car.'

Am ennyd, edrychodd ei mam arni mewn ffordd ryfedd iawn ac yna rhoddodd wên fach ddryslyd a throdd i ffwrdd gan esgus gwneud rhywbeth efo botymau ei sgert. Hynny, sylweddolodd Dilys rŵan, oedd yr awgrym cyntaf o'r hyn oedd i ddod. Ond ar y pryd, prin y sylwodd Dilys ar ymateb rhyfedd ei mam, gymaint oedd ei phryder ynghylch Eurwyn a chyflwr ei dad. Ni allai beidio â dychmygu'r hen ŵr ar drothwy angau ac Eurwyn druan mewn ing a galar—a hithau, ei wraig, ddim yno i'w gynnal ar yr adeg dyngedfennol hon yn ei fywyd.

Ond wedi parcio'r car ym mhellafoedd y maes parcio gorlawn a rhuthro rai milltiroedd—neu felly y teimlai—at yr ysbyty ac yna ar hyd y coridorau i'r adran gofal arbennig, cawsant fod Mr Roberts wedi gwella'n ddigonol i gael ei drosglwyddo ers canol y bore i ward gyffredin. Yno y cawsant yr hen ŵr yn eistedd i fyny yn ei wely. Edrychai'n rhyfedd i Dilys yn ei byjamas, a heb ei gap, ond roedd yn eithaf iach a hwyliog serch hynny.

Wedi sgwrsio efo fo am ychydig, deallodd Dilys a'i mam fod y meddygon bellach yn weddol ffyddiog nad oedd o'n debyg o gael trawiad arall ac y byddai'n cael mynd adref ar ôl rhyw dridiau arall o orffwys yn yr ysbyty. A ble oedd gweddill y teulu, gofynnodd Dilys ar ôl clywed holl fanylion ei drawiad. O, wedi picio i'r dref am damaid o fwyd, oedd esboniad yr hen ŵr. Gobeithio y caent rywbeth gwell i'w fwyta nag a gawsai ef, ychwanegodd.

Er ei bod yn hoff o dad Eurwyn, doedd Dilys erioed wedi gorfod cynnal sgwrs efo fo am fwy nag ychydig funudau o'r blaen, ac erbyn tri o'r gloch yr oedd hi a'i mam yn dechrau ymbalfalu braidd am destunau sgwrs. Dyna pryd y daethant yn ôl, Eurwyn a'i fam a Julie, gwraig Gwilym.

'O helô, Dilys fach,' meddai Mrs Roberts ar ei hunion, gan roi ei braich dew o amgylch ysgwyddau ei merch-yng-nghyfraith. 'Mi ddywedodd Eurwyn eich bod chi am ddod draw. Helô, Mrs Edwards, sut ydych chi ers tro?'

Yr oedd mam Dilys a mam Eurwyn yn sgwrsio'n ddygn a Julie'n esbonio i Mr Roberts mai'r rheswm dros iddynt fod mor hir yn dychwelyd oedd eu bod wedi cael cryn drafferth i gael gafael ar y tabledi glanhau dannedd gosod yr oedd ef wedi gofyn amdanynt. Tra'u bod nhw i gyd yn brysur, cymerodd Dilys y cyfle i fynegi rhyw gymaint o'i cham wrth Eurwyn.

'Fe fu Mam a minnau'n hongian o gwmpas y lle acw am oriau'n disgwyl i'r ffôn ganu,' meddai hi'n biwis. 'Fe ddywedaist ti dy fod am ffonio.'

'Do? Camddealltwriaeth, Dil. Roeddwn i'n meddwl ein bod ni wedi cytuno y byddet ti'n dod oni bai 'mod i'n ffonio i dy rwystro di.' Fflachiodd ei wên hyfryd. 'Doedddwn i ddim yn hollol yn fi fy hun y bore 'ma, Dil. Wedi drysu'n lân yn poeni am 'Nhad.'

Meiriolodd Dilys.

113

'Wrth gwrs, roeddet ti'n poeni am dy dad. Doedd dim disgwyl iti boeni am fanion ar adeg mor bryderus. Mae'n ddrwg gen innau am fod mor flin. Dwi wedi bod yn poeni cymaint amdanat ti a dy dad, a dwi ddim wedi bod yn amyneddgar iawn. Sori. Mae'n dda gen i ei weld o'n edrych cystal.'

'Mae'r meddygon yn teimlo'n reit galonogol yn ei gylch,' meddai Eurwyn, 'ond fe fydd raid iddo gymryd gofal o hyn allan.'

A chyda hynny, aeth i eistedd yr ochr arall i'r gwely i siarad efo'i dad.

Er gwaethaf y rheol mai dim ond dau ymwelydd oedd i fod i bob claf, bu'r pump ohonynt yn eistedd o amgylch y gwely am ugain munud arall, efo Eurwyn a'i fam yn gwneud y rhan fwyaf o'r siarad. Yna, edrychodd Eurwyn ar ei oriawr, cododd ar ei draed a dywedodd wrth Julie ei bod yn bryd i'r ddau ohonynt adael i gyfarfod trên Gwilym. Awgrymodd Dilys wrtho'n ddistaw y gallai Julie fynd i gyfarfod ei gŵr ar ei phen ei hun. Gwenodd Eurwyn.

'Dydi'i char hi ddim ganddi hi,' meddai. 'A dweud y gwir,' ychwanegodd, 'waeth iti heb â disgwyl fawr yn hwy, Dil. Fe fydd amser ymweld drosodd erbyn i ni ddod yn ein holau ac wedyn dim ond perthnasau gwaed fydd â'r hawl i'w weld o. Pam nad ei di â dy fam allan am bryd o fwyd, ac mi'ch gwelaf i chi gartref yn nes ymlaen. O, a wnei di ffonio Ifan Hughes i ddweud wrtho na fydd angen iddo gymryd fy lle i yn yr oedfaon fory wedi'r cwbl? Mi alla i ddod draw i weld 'Nhad yn y prynhawn, ac mi fedran nhw wneud hebdda i yn yr Ysgol Sul yn iawn.'

Aeth Eurwyn efo Julie heb dorri gair arall, a doedd dim amdani ond i Dilys a'i mam ffarwelio'n gwrtais â Mr a Mrs Roberts ac ymadael. Roedd Beryl Edwards wedi clywed popeth a ddywedwyd gan Eurwyn a Dilys, ac wrth gerdded o'r ward ar hyd un o goridorau diddiwedd Ysbyty Gwynedd, ni fedrai ei hatal ei hun rhag dweud rhywbeth.

'Pam wyt ti'n aros efo fo ac yntau mor anystyriol o bopeth ond ei bethau ei hun?' gofynnodd.

Roedd Dilys, a oedd yn ystyried y posibilrwydd o sleifio i'r lle chwech am funud i gael llymaid bach, wedi synnu cymaint i glywed ei mam yn gofyn y fath gwestiwn nes iddi ateb yn fwy swta ac anghwrtais nag y dylai.

'Does gen i unlle i fynd,' meddai'n chwerw. 'Fuasech chi ddim balchach o 'nghael i o gwmpas eich fflat fach chi, mae'n siŵr. A does gen i neb arall yn yr hen fyd 'ma, nac oes?'

Am eiliad, safodd Beryl Edwards yn stond ar ganol y coridor gan syllu ar ei merch efo rhyw olwg ryfedd yn ei llygaid. Agorodd ei cheg i ddweud rhywbeth. Yna, sylweddolodd ble'r oedd hi, a cherddodd yn ei blaen.

'Mae'n ddrwg gen i, Dilys,' meddai hi'n ffurfiol ddigon. 'Doedd gen i ddim hawl i fusnesu.'

Pe na bai Dilys wedi gwylltio cymaint efo'i mam ac efo hi ei hun, efallai y byddai wedi sylwi ar ymddygiad rhyfedd ei mam, a dyma, mewn gwirionedd, yr ail awgrym o'r hyn oedd i ddod. Ond fe aethent adref o'r ysbyty heb ddweud gair ymhellach, a chyn bo hir roedden nhw ar delerau gwell. Ffoniodd Dilys Ifan Hughes ac yna aeth y ddwy ohonynt i'r Llew Coch yn y Llan am bryd o fwyd a photelaid o win.

Cyraeddasant adref ychydig ar ôl hanner awr wedi naw ac, er mawr syndod iddynt, nid oedd y car bach coch nac Eurwyn wedi dychwelyd. Wrth edrych yn ôl, ceisiodd Dilys ddyfalu pa mor wahanol fyddai ei sefyllfa hi'r bore yma petai Eurwyn wedi dod adref yn gynharach neithiwr.

Eistedd yn cael paned o goffi yr oedd y ddwy ohonynt. Sylwodd Beryl Edwards mor aflonydd oedd ei hunig blentyn a phenderfynodd fwrw'r cwch i'r dŵr a dweud yr holl bethau hynny y bu'n eu hymarfer yn ei phen gydol y noson honno—ac o bryd i'w gilydd er i Dilys gael ei geni.

'Dwyt ti ddim yn hapus, nac wyt, Dilys?' gofynnodd yn sydyn. 'Dwyt ti ddim yn hapus efo Eurwyn yn y lle yma, nac wyt?'

Credai Dilys fod ei mam, a oedd yn llawer craffach nag Eurwyn, wedi sylwi ar ei thripiau aml i'r lle chwech ac ar yr arogl jin nad oedd y persawr yn ei guddio'n llwyr. Yn ei syndod a'i phanic, ni wnaeth Dilys unrhyw ymdrech i ateb y cwestiynau nac i amddiffyn ei gŵr a'i phriodas. Cymerodd Beryl Edwards ddistawrwydd ei merch fel ateb cadarnhaol.

'Fuest ti erioed yn hapus iawn, naddo Dilys?' meddai hi wedyn yn ddistaw, ei llygaid yn syllu i'r gorffennol ar yr eneth fach denau honno a arferai symud fel ysbryd trist o gwmpas y tŷ. 'Chefaist ti fawr o gartref. Fy mai i ydi hynny.'

Agorodd Dilys ei cheg i brotestio fod ei mam wedi gwneud ei gorau o sefyllfa anodd. Ond cododd Beryl Edwards law denau i'w hatal.

'Plîs, Dilys, gwranda. Mae beth sy gen i i'w ddweud yn anodd imi ac os na wna i rŵan, efallai na wna i byth. Plîs, paid â dweud dim nes imi orffen.'

Eisteddodd Dilys fel sowldiwr, gyda llu o syniadau gwyllt yn rasio trwy ei phen. Roedd hi'n anodd iawn canolbwyntio ar ei mam a'r llais main a oedd mor ddistaw a thyner, mor wahanol i'w goslef arferol.

'Wnes i erioed garu dy dad, Dilys, a wnes i ddim trio gwneud. Mi fu gen i gariad pan oeddwn i'n ifanc, ond mae'n rhaid nad oedd hwnnw'n meddwl hanner cymaint ohonof i ag yr oeddwn i'n feddwl ohono fo. Pan ddywedodd dy daid wrtho fo na chawn i briodi nes 'mod i'n un ar hugain, doedd o ddim yn fodlon disgwyl dwy flynedd amdana i.

'Cael fy ngadael efo dy dad wnes i ar ôl noson yn y dre efo dy Anti Megan. Roedd hi wedi cymryd ffansi mawr at ei ffrind o, ac felly dyma fi'n cael fy landio efo Cled. Mi gefais i ormod i'w yfed ac mi aeth pethau'n rhy bell. Does yna'r un esgus— roeddwn i'n saith ar hugain oed ac mi ddylwn i fod wedi gwybod yn well.'

Cododd ei llaw eto i dewi'r cwestiynau a oedd ar flaen tafod Dilys. Cymerodd wynt dwfn, ac aeth yn ei blaen.

'Beth bynnag, mi roeddwn i'n disgwyl babi ac mi fedri di ddychmygu cymaint o ofn dy daid oedd arna i wrth feddwl am ei wynebu o efo'r newyddion. Mi fuasai o wedi bod yn ddidosturi. Ond mi roedd Cled, dy dad, yn ddidosturi hefyd. Ei safbwynt o oedd fod merch a oedd yn fodlon cysgu efo dyn ar ôl mymryn o ddiod yn siŵr o fod wedi cysgu efo dwsinau. Gwrthodai gredu mai fo oedd yr unig un.

'Mi wnes i ffŵl ofnadwy ohonof fy hun yn dilyn Cled o gwmpas fel cysgod yn erfyn ac yn erfyn arno fo i 'mhriodi i, ond gwrthodai ystyried y peth. Yn y diwedd, mi gefais i syniad. Roeddwn i wedi bod yn celcio pres ers tro efo'r bwriad o ddianc ryw ddydd i ddechrau bywyd newydd yn rhywle'n bell i ffwrdd.

Mae'n amheus gen i fuaswn i wedi medru troi
'nghefn ar Mam a hithau mor wael, ond, beth
bynnag, fe benderfynais i gynnig rhoi'r cwbl i Cled
dim ond iddo fo 'mhriodi i.'

Bu ei llais yn ddistaw o'r dechrau, ond yn awr
doedd o'n fawr mwy nag anadl. Plygodd ei ben ac
edrychodd ar ei llaw am rai eiliadau, y llaw efo'r
fodrwy briodas, cyn dod o hyd i ddigon o lais i fynd
yn ei blaen.

'Mi gytunodd Cled, ar yr amod na fyddai'n aros
gyda mi'n hir. Roedd o wedi bwriadu ymuno â'r
fyddin beth bynnag, ac mi ddywedodd ei fod am
fynd cyn i'r babi ddod ac efallai na ddôi o'n ei ôl.
Fedrwn i wneud dim ond cytuno.

'Wedi iddo fo fynd mi sgwennodd o un neu ddau o
lythyrau digon di-lun, ac yna mi sgwennodd o
lythyr yn awgrymu 'mod i'n cymryd arnaf ei fod o
wedi'i ladd. Ar ôl tri mis yn ein tŷ ni, roedd o'n
hollol sicr nad oedd o byth am ddod yn ei ôl. Trwy
lwc, cyn pen pythefnos, dyma'r holl newyddion
am Suez yn torri ac mi wnes i'r gorau ohono fo. Mi
es i trwy berfformiad mawr o ffugio galar er mwyn
denu tosturi a sylw pawb. Mi fwynheais i o, a dweud
y gwir.'

'Ydi hynny'n meddwl ei fod o'n dal . . .' dechreu-
odd Dilys, ond aeth y llaw i fyny eto. Doedd Beryl
Edwards ddim am fynd o flaen ei stori.

'Doeddwn i ddim yn disgwyl clywed dim mwy o
hanes Cled ar ôl hynny, ond mi roedd o'n fwy o ddyn
nag yr oeddwn i wedi meddwl—dim ond 'mod i heb
fedru denu'r gorau ohono fo, neu heb drio. Ar ôl iti
gael dy eni, mi anfonodd o bres imi'n rheolaidd at
dy gadw di, gan ei roi mewn amlen wedi'i theipio
fel na fyddai 'Nhad yn amau dim. Mi barhaodd o i

yrru'r pres bob mis nes iti ddechrau ennill cyflog. Wariais i erioed yr un geiniog ohono fo ac ar ôl i dy daid farw mi gefais i'r syniad o ddweud fod fy hen Fodryb Nel wedi'i adael o i mi ar yr amod 'mod i'n ei roi o i ti pan oeddet ti'n un ar hugain oed. Felly, dy dad dalodd am y car yna sy'n golygu cymaint i ti.'

'Ydi o'n dal yn fyw?' Fedrai Dilys ddim dal un eiliad yn hwy.

'Ydi. Pan oeddet ti'n bump oed, mi sgwennodd ata i ofyn a wnawn i gytuno i ysgariad am ei fod o wedi cyfarfod merch yr oedd o am ei phriodi draw yn Lloegr. Mi drefnodd o bob dim, y cwbl oedd raid imi ei wneud oedd cael trên i Gaer un diwrnod a chyfarfod ei gyfreithiwr o oedd wedi dod o Fanceinion. Mi aethon ni i gael diod bach yn y gwesty wrth y stesion, mi dorrais i fy enw ar ryw ddarnau o bapur, ac yna roedd y cwbl drosodd ac mi ddes i adref ar y trên nesaf.'

Cododd Beryl Edwards ei phen ac edrychodd ar wyneb ei merch, wyneb a oedd yn fyw ac yn llawn cyffro, mor annhebyg i'r hyn a fu yn ystod y blynyddoedd diwethaf.

'Mae o wedi parhau i sgwennu a holi dy hanes dros y blynyddoedd, Dilys. Mae o wedi erfyn arna i ddweud wrthyt ti amdano fo ac wedi gofyn a gofyn am gael dy gyfarfod di. Fedr ei wraig o ddim cael plant, felly ti ydi ei unig blentyn o.'

'Pam na fuasech chi wedi dweud wrtha i o'r blaen?' gofynnodd Dilys, gyda dagrau'n powlio hyd ei hwyneb.

'A bod yn onest, Dilys, tan yn ddiweddar roeddwn i'n siŵr 'mod i wedi gwneud y peth iawn a dy fod ti'n hapus yn dy fywyd hebddo fo. Rŵan dwi'n sylweddoli nad ydi hynny'n wir.'

'Lle mae o rŵan?' gofynnodd Dilys, fel petai hi am redeg yno'r eiliad hwnnw yn ei slipars.

Cododd ei mam o'r soffa, aeth at y bwrdd a chymerodd ddarn o bapur o'i bag llaw a'i roi i Dilys, darn o bapur glas golau ac arno'r enw Cledwyn R. Edwards a chyfeiriad ym Manceinion. Daliodd Dilys y darn papur yn ei llaw a syllu'n hir arno. Teimlodd ei hun yn crynu. Roedd ei chalon yn curo'n galed a'i gwaed yn llifo'n boeth yn ei gwythiennau.

Camodd ei mam at y drws.

'Dwi am fynd i'r gwely rŵan, Dilys. Mi ateba i unrhyw gwestiynau fydd gennyt fory. Mae'n ddrwg gen i. Nos da.' Agorodd y drws a chamodd i'r cyntedd. Yna, trodd yn ôl. 'Mi wn i 'mod i'n fam go sâl, ond mi rydw i'n meddwl y byd ohonot ti yn fy ffordd fy hun, wsti.'

Yr ateb gorau y gallai Dilys ei roi iddi ar y pryd oedd rhyw gysgod gwên. Caeodd Beryl Edwards y drws. Eisteddodd Dilys am gyfnod a deimlai'n gyfnod maith yn syllu ar y darn papur glas, ac yna, fel un yn cerdded yn ei chwsg, aeth hithau i'w gwely.

Pan gyrhaeddodd Eurwyn adref ar ôl mwynhau pryd Indiaidd difyr efo Gwil a Julie, cafodd fod y tŷ'n dywyll ac yn dawel a'i wraig yn cysgu yn ôl pob golwg. Yr hyn na wyddai ef oedd mai syfrdandod ac nid cwsg a oedd yn gyfrifol am ei llonyddwch am y rhan helaethaf o'r noson.

Erbyn hyn, aethai'r syfrdandod heibio ac ni allai Dilys ddim ond maddau i'w mam ac i'w thad am bopeth, gymaint oedd ei hapusrwydd o ganlyniad i'r newyddion da. Rhoddodd ei photel lemonêd yn ôl yn ei bag-llaw a throdd i briffordd y pentref gan gamu'n fras i gyfeiriad y siop bapur newydd.

Yr oedd hi'n dal yn hynod o hapus gan gyrhaeddodd hi adref efo papur dydd Sul dan ei chesail a gwên lydan ar ei hwyneb. Datganodd wrth Eurwyn fod gwasanaeth yr eglwys yn dechrau am ddeg ac y byddai hi'n mynd yno yn gwmni i'w mam. A chyn i Eurwyn fedru agor ei geg i wrthwynebu, fe ychwanegodd Dilys gyda gwên siriol arall na fyddai hi ei hun yn cymuno gan fod cymun ym Moreia'r noson honno.

Doedd Eglwys Sant Ioan ddim mwy na hanner milltir o gapel Moreia ond gallai Dilys yn hawdd fod mewn gwlad wahanol pan barciodd ei mam ei char ymhlith nifer o geir dieithr eraill o flaen y gât. Cymerodd y ddwy sedd yn agos at gefn yr adeilad ymhlith tua dwsin a hanner o wynebau anghyfarwydd a hanner-cyfarwydd.

Yr oedd bod mewn eglwys eto ar ôl yr holl flynyddoedd fel camu'n ôl i'w phlentyndod. A rywsut yr oedd hen, hen eiriau'r gwasanaeth yn dod yn hawdd i'w thafod er gwaethaf y llyfr gwasanaeth newydd a'r ffaith mai gwasanaeth dwyieithog oedd hwn.

Wrth benlinio yno a llefaru geiriau'r ymbiliadau eto ar ôl bwlch o ryw ugain mlynedd, cofiai Dilys yn fyw iawn sut y teimlai hi'r holl flynyddoedd yn ôl ac fel y byddai hi'n gweddïo yn ei chalon am yr un peth yr oedd hi'n dymuno ei gael yn fwy na dim arall—tad. Edrychai'n gyson am arwyddion fod ei mam am ddod adref o'r siop un diwrnod a datgan ei bod am briodi, ac yna byddai hi a thad newydd Dilys yn mynd â hi o aelwyd ddigysur Taid i fyw i rywle braf lle byddai yna lot o ffrindiau i eneth fach.

A rŵan, ymhell wedi iddi beidio â gobeithio a pheidio â gweddïo am ddim byd o gwbl, dyma'r weddi'n cael ei hateb y tu hwnt i bob disgwyl. Roedd hi'n wir wedi'r cwbl; fe fyddai Duw yn ateb gweddi pechadur dim ond i'r pechadur hwnnw ddeisyf digon. A dyletswydd Dilys rŵan oedd cadw ei hochr hi o'r fargen a wnaethai hi â Duw gymaint o amser yn ôl—'Plîs, Dduw, os ca i dad fel pawb arall, mi fydda i'n hogan dda bob amser.'

Roedd hynny'n beth hawdd i eneth fach ei ddweud. Ychydig a wyddai Dilys bryd hynny am bechod. Bellach, pwysai baich ei phechod mor drwm arni fel na fedrai ddim ond prin godi ei thrwyn allan o'r llaid y safai ynddo. Ac eto, dechreuodd geiriau'r llyfr gweddi weithio'r hen rin. Byddai rhywun yn dweud yr un geiriau ar goedd Sul ar ôl Sul heb feddwl amdanynt bron, ac yna, weithiau, fe neidiai ymadrodd neu frawddeg allan o'r dudalen i siarad yn bersonol efo'r un pechadur yr oedd fwyaf ei angen arno.

Yn y gwasanaeth dwyieithog hwn, bu'r paratoad yn Saesneg, yr ymbiliad yn Gymraeg, a'r darlleniadau yn y ddwy iaith. Yn awr, ar ôl pregeth Saesneg trodd yr offeiriad ifanc i'r Gymraeg i weinyddu'r ewcarist. Siaradai â llais Duw wrth galon Dilys ac ni fu digwyddiadau'r Swper Olaf erioed mor fyw iddi ag yr oedden nhw'r bore yma.

Yna, yr oedd Dilys yn cydadrodd gweddi'r ymroddiad efo pawb arall, ond y tro hwn gydag arddeliad a llawenydd:

'Nid ydym yn rhyfygu dyfod at dy fwrdd di yma,
Arglwydd trugarog,
gan ymddiried yn ein cyfiawnder ein hunain,
eithr yn dy aml a'th ddirfawr drugareddau di.
Nid ydym ni'n deilwng gymaint ag i gasglu'r
briwsion dan dy fwrdd di,
eithr yr un Arglwydd wyt ti,
a pherthyn i ti drugarhau'n wastad.
Caniatâ i ni gan hynny, Arglwydd grasol,
felly i fwyta cnawd dy annwyl fab Iesu Grist
ac yfed ei waed ef
fel y trigom byth ynddo ef, ac yntau ynom minnau.
Amen.'

Doedd dim posib bellach i Dilys aros yn ei sedd
pan alwodd yr offeiriad bawb ato i dderbyn y
cymun. Edrychodd ei mam arni gyda chwestiwn yn
ei llygaid, ond mynd wnaeth Dilys. Er gwaethaf ei
haddewid wrth Eurwyn, fedrai hi ddim dal yn ôl yn
awr o'r glanhad a oedd mor ddychrynllyd o agos. Ac
yno, a hithau'n penlinio ysgwydd yn ysgwydd â'i
mam ar un ochr ac â dieithryn llwyr ar yr ochr arall
iddi, digwyddodd un o'r myrdd o wyrthiau y mae'r
Duwdod yn eu gweithio'n feunyddiol o fewn calon-
nau dynion. Cyffyrddodd â chraidd ysbryd Dilys a
derbyniodd hi ras a maddeuant a gollyngdod mewn
gwyrth na wyddai'r rhai oedd fodfeddi oddi wrthi
ddim oll amdani.
Ni theimlasai Dilys y fath brofiad ysbrydol ers
iddi briodi. Efallai fod ei hagosrwydd hi at Eurwyn
fel dyn wedi peri iddo sefyll rhyngddi hi a Duw yng
ngweinyddiad y cymun yn hytrach na bod yn
gyfrwng dienw, digymeriad rhyngddi hi a'r Duw
Gras, fel yr oedd y curad ifanc hwn yn gallu bod.

Camodd o'r eglwys yn ddynes newydd—dros dro o leiaf. Ac yn llawn pwrpas. Wedi derbyn maddeuant gan ei Chreawdwr ni allai oedi mwyach rhag gofyn maddeuant gan ei was.

Pan gyrhaeddodd hi adref, oedodd am funud i godi'r gwres yn y popty ac i gynnau'r nwy o dan y sosbenni. Gofynnodd i'w mam wneud paned a cherddodd yn bwrpasol i mewn i stydi Eurwyn. Doedd bosib ei fod gartref o'r oedfa ers mwy na rhyw bum munud ond yr oedd o'n barod wedi ymgolli yn y swp o bapurau teipiedig ar y ddesg o'i flaen.

Caeodd Dilys y drws o'i hôl a safodd fel y safasai gynt yn swyddfa'r brifathrawes.

'Eurwyn!'

Edrychai ef fel petai wedi'i ddychryn. Ni fyddai Dilys byth yn camu i'w stydi fel hyn pan fyddai ef yno. Wrth gwrs, fe fyddai hi'n mentro yno yn ei absenoldeb i lanhau ond pan oedd ef yn brysur fel hyn, ni fyddai hi'n gwneud mwy na rhoi cnoc ysgafn ar y drws i ddweud fod ei fwyd yn barod neu fod yna rywun ar y ffôn.

'Mae gen i rywbeth i'w ddweud, Eurwyn, wnaiff dy siomi di a dy frifo di,' meddai'r Ddilys newydd. 'Mi fyddwn i'n falch petaet ti'n trio peidio torri ar fy nhraws i nes imi orffen,' ychwanegodd, gan gofio geiriau ei mam y noson cynt. 'Dwi wedi bod yn yfed yn drwm ers dros flwyddyn bellach,' dechreuodd, gan siarad mor araf ag y gallai. 'Dyna pam roeddwn i wedi 'nghythruddo gymaint pan gyhuddaist ti fi o fod yn feddw nos Fercher—fe yfais i lai y diwrnod hwnnw nag ar unrhyw ddiwrnod ers blwyddyn. Dwi wedi bod yn trio rhoi'r gorau iddi, Eurwyn, ond fedra i ddim ac mae'n rhaid imi wynebu'r ffaith 'mod i'n alcoholic a bod angen help arna i. Gyda dy gefnogaeth di, dwi am fynd at Dr. Prydderch a gofyn iddo fo ble y dylwn i fynd i gael cymorth.'

'Os ei di at Dr. Prydderch fe fydd pawb o fewn deng milltir yn gwybod dy hanes cyn pen mis,' oedd ateb Eurwyn, ei fochau'n cochi gan dymer. 'Faint sy'n gwybod yn barod? Mae'n siŵr fod tafodau pawb yn clecian os wyt ti wedi bod yn prynu diod gadarn ym mhob man.'

'Mi fues i'n ofalus iawn. Choeliet ti fyth pa mor slei rydw i wedi bod wrth geisio cuddio'r hyn roeddwn i'n ei wneud. Mae'n debyg fod hynny'n rhan o'r salwch.'

'Salwch, wir.'

'Ie, salwch, Eurwyn. Yn f'achos i mi ddechreuais i yfed ar ôl colli'r babi, i anghofio. Cysur oedd o, pan nad oedd gen i ddim arall a neb arall i fod yn gysur imi.'

'Roeddwn i yma, Dilys. Paid â thrio hel esgusion. Os wyt ti'n feddwyn, dy fai di yn unig ydi o. Mi rwyt ti'n iawn, mi rydw i wedi 'mrifo, i feddwl y buaset ti mor anystyriol o'm sefyllfa i yma i ymddwyn fel hyn y tu ôl i 'nghefn i, ac yna i feddwl gwneud pethau'n waeth trwy fynd at Dr. Prydderch. Mi gefaist ti dy hun i mewn i'r twll yma, a gwell iti dy gael dy hun allan yn o handi.'

'Ond fedra i ddim, Eurwyn. Mi rydw i wedi trio ond fedra i ddim rhoi'r gorau i yfed heb help, a hwnnw'n help meddygol.'

'Diffyg disgyblaeth fu dy broblem di erioed, a dyna ydi dy broblem di rŵan. Fedr yr un doctor wella hynny.'

Roedd y min caled i'w lais wedi dychryn Dilys. Ni welsai ac ni chlywsai'r Eurwyn hwn erioed o'r

125

blaen, er iddi amau droeon ei fod yn bodoli. Fedrai hi ddim llai na'i gyffelybu i'w thaid ers talwm.

'Wyt ti felly'n gwrthod gadael imi fynd at feddyg lleol am y cymorth y mae ei angen arna i?' gofynnodd, yn ddeifiol o ddistaw.

'Ydw.'

'Yna, mi a' i at feddyg yn rhywle arall i ofyn am gymorth,' meddai, wedi cael syniad rhy dda i'w wrthod. 'Mi af i ddinas fawr, i Fanceinion, lle mae yna ddigon o feddwon fel na fydd un arall yn destun siarad i neb. Ie, mi af yno pnawn yma,' meddai hi wedyn, wedi anghofio'n llwyr am Eurwyn erbyn hyn.

'Paid â bod yn wirion, Dilys,' meddai yntau. 'Sut fedri di fynd heb baratoi?'

'Yn hawdd. Mi af yn y car yn syth ar ôl cinio.' Trodd ato efo gwên siriol ar ei hwyneb, ond nid iddo ef yr oedd y wên. 'Dwi'n mynd i bacio rŵan.'

'Na wnei, wir. Beth fyddai pobl yn feddwl . . .'

'Gwranda, Eurwyn,' gorchmynnodd Dilys, ei llaw ar ddwrn y drws, 'rwyt ti wedi dweud pethau go gas wrtha i yn ystod y pum munud diwethaf. Mi rydw i'n fodlon—jyst—i gydnabod mai siarad ar dy gyfer yn dy siomiant yr oeddet ti ac y bydd gen ti fwy o gydymdeimlad efo fi ar ôl iti ystyried dipyn.'

Yr oedd Eurwyn yn goch fel tomato ac ar fyrstio eisiau bwrw ei lach arni ymhellach, ond yr oedd rhywbeth yn ei hymddygiad—yn ei hurddas, yn wir —yn ei rwystro.

'Dwyt ti ddim wedi dweud dim eto, Eurwyn, na fedra i ei faddau, ac felly, os na ddywedi di fwy, efallai—dim ond efallai, cofia—y do i'n ôl pan fydda i'n well.'

Trodd ei chefn arno. Anghofiodd ef yr holl bethau sarhaus y bu'n ysu i'w dweud wrthi yn wyneb mater pwysig y cofiodd amdano'n sydyn.

'Ond Dil, mi fydd eisiau'r car arna i i fynd i'r ysbyty ar ôl cinio.'

'Ffonia Idwal, Tŷ Pen. Mae o'n mynd i weld Elsie.'

'Ond Dil, beth ddyweda i yn yr oedfa heno?'

'Paid â phoeni, Eurwyn. Rwyt ti'n siŵr o feddwl am rywbeth.'